ENGAGEMENTS
Collection dirigée par
Emmanuel Hirsch

Le passeur
d'univers

DU MÊME AUTEUR

Pour en finir avec la politique mensonge, La Table ronde, 1992.
L'Enfant oublié ou les folies génétiques, Albin Michel, 1994.
Les Droits de la vie, Odile Jacob, 1996.
Le Chemin de l'adoption. Le cœur et la raison, Albin Michel, 1997.
Philosophie, éthique et droit de la médecine, en collaboration avec D. Folscheid et B. Le Mintier, PUF, 1997.
De la médecine à la santé, pour une réforme des études médicales et la création d'universités de santé, Flammarion, 1997.
Sciences de la vie et de la terre (2 volumes), Éditions de la Cité, 1998 et 1999.
Le Diagnostic prénatal, Flammarion, coll. « Domino », 2000.

Jean-François Mattei
Avec la collaboration de Cécile Barthélémy

LE PASSEUR
D'UNIVERS

CALMANN-LÉVY

ISBN 2-7021-3101-8

À Jean-Marie Mattei (1891-1994)
...*Un sage*...

LE PASSEUR D'UNIVERS

C ela a fusé tout naturellement. Nous bavardions un soir entre amis lorsque l'un d'eux s'étonna, une fois encore. Comment se faisait-il que, toujours absorbé par la médecine, je l'aie cependant quelque peu délaissée au profit de la politique ? J'ai dû expliquer, une fois encore, ce que je considère comme une évidence : « À mes yeux, médecine et politique se rejoignent. C'est la même démarche, le même objectif, et c'est tout naturellement que je suis passé de » Je n'ai pas eu le temps de terminer ma phrase. Lequel a lancé : « Oh, toi, tu es un passeur d'univers... » ? Tous ont immédiatement repris en chœur : « C'est vrai, tu es un passeur d'univers ! » Et, je dois le reconnaître, l'image m'a séduit.

Passeur d'univers... Cela s'appliquait bien à l'étudiant en médecine qui déjà s'orientait vers la pédiatrie, pour aider ces jeunes vies balbutiantes à faire leurs premiers pas. Cela convenait également au médecin praticien qui, quelques années plus tard, sans pour autant abandonner la pédiatrie, choisissait de remonter dans l'histoire de l'humanité par le fil de l'hérédité et se tournait vers la génétique. Comme à l'homme qui fit bientôt son entrée en politique, ce qui, à mes yeux, signifie être également attentif à l'autre. Il ne s'agissait certes plus de s'occuper uniquement d'enfants, mais aussi d'adultes. Où est la différence ? En quoi les besoins des adultes sont-ils si différents de ceux des enfants ? En quoi l'univers médical et scientifique est-il si différent de l'univers politique ?

11

Nous changeons d'époque, nous changeons de civilisation et, ce faisant, nous avons perdu nos repères ; c'est pourquoi, au risque de paraître immodeste, j'ai éprouvé l'envie de raconter mon expérience parce que, l'image est juste, j'ai véritablement le sentiment d'être un passeur d'univers. De l'univers d'hier, de celui d'aujourd'hui, à l'univers de demain. Je n'ai pas la prétention de faire des révélations mais simplement de relater l'évolution des mœurs et des comportements telle que je l'ai vécue, les leçons que j'en ai tirées et peut-être, à travers mes convictions, contribuer à un retour à la raison, à un certain bon sens, à la sagesse... ce qui ne signifie pas un retour en arrière.

Oui, le « passeur d'univers » me parle, parce que sans être encore atteint par l'âge, je n'en suis pas moins passé entre les générations, d'une génération à l'autre, aujourd'hui d'un siècle à l'autre, de la famille à l'individu et aussi de la médecine à la politique... autant d'univers différents que j'aimerais rassembler dans une éthique de vie, dans le but de transmettre ce que l'expérience m'a appris.

Je voudrais, au fil des pages, dessiner un ensemble cohérent et inviter, peu à peu, à une sorte de voyage de remise en question. Le monde est perturbé, bousculé jusque dans ses convictions les plus solides ; puisse mon témoignage être une petite pierre, une petite aide, afin que l'on réalise bien où l'on est, comment on y est arrivé, comment en sortir et où se diriger.

L'évolution de mes réflexions s'est faite par paliers. Tout d'abord, une phase strictement scientifique, sans trop de questions, si ce ne sont celles que rencontre tout citoyen en charge de famille, qui vote et qui s'intéresse quelque peu à la chose publique, réflexion première dans le domaine de la médecine et de la génétique.

Dans un deuxième temps, j'ai pris conscience de toutes les questions que ces disciplines pouvaient poser à l'homme. Coïncidence ? C'est à ce moment précis que je me suis engagé dans l'action politique. Assez rapidement, j'ai compris que les questions que posait la médecine rejoignaient le plus souvent les préoccupations politiques.

Quand on parle de diagnostic prénatal, on s'interroge sur la place des handicapés dans notre société. Quand on aborde la procréation assistée, les interrogations portent sur la valeur de l'enfant, de la famille, de l'éducation. Lorsqu'on évoque les transplantations d'organes, on parle de la solidarité qui existe entre les morts et les vivants, ce qui conduit à s'interroger sur la mort, sa valeur par rapport à la vie, et donc à les resituer l'une par rapport à l'autre.

D'étape en étape, la médecine était toujours à l'origine de mes réflexions. Puis j'ai élargi la préoccupation médicale, et donc humaine, à l'ensemble du vivant. Je me suis intéressé à toutes les manipulations génétiques, y compris sur les OGM – les organismes génétiquement modifiés –, maïs, colza, soja, tomates, pommes de terre et autres. Je me suis préoccupé davantage encore de l'environnement et ainsi, peu à peu, une réflexion sur l'homme dans sa globalité, l'homme dans le monde vivant et dans l'univers s'est imposée.

Il n'en demeure pas moins que dans la logique d'une pensée, on ne peut jamais faire l'économie du stade précédent. Dans mon cas, c'est la médecine qui a été le fil conducteur de ma vie et de mes actes. Mais avec les années, j'ai élargi mon regard sur la vie et sur mon champ d'action. Mieux, aujourd'hui, j'ose l'exprimer, tant il est vrai que la maturité modifie les comportements de la jeunesse, surtout chez les gens plutôt réservés, ce qui est mon cas. Cela dit, qu'on se rassure, je n'ai pas l'intention de me raconter mais, tout simplement, de tenter d'expliquer le pourquoi de ma démarche et mon regard sur la science, sur la société et son évolution.

L'intérêt que je porte à la politique est de la même essence que celui que j'ai toujours porté aux malades et aux étudiants. Chaleureux, même si on me disait sévère. Je le sais, j'ai la réputation d'être quelqu'un de relativement froid et distant, difficile d'accès. Même si je ne me reconnais pas dans ce portrait, il me faut bien en tenir compte, ce doit être la réalité. Mes étudiants et mes collaborateurs me l'ont dit souvent : « On ne vous choisit pas volontiers, mais on vous quitte à regret. » Excessives, ces formules le sont toujours, mais cela signifie que les étudiants en médecine, les internes qui venaient dans mon service, surtout quand j'étais plus présent au côté des malades au quotidien, ne choisissaient pas volontiers ce service, parce qu'ils savaient que je ne suis pas très commode et extrêmement exigeant. À 8 heures, je commençais la visite, et ils étaient priés d'être à l'heure. Au bout d'un mois ou deux, ils arrivaient en avance et nous buvions le café ensemble avant de travailler. L'année suivante, ils choisissaient souvent de revenir dans mon service car ils recevaient en proportion de ce que j'exigeais. C'est la même chose en politique. Certains de mes collaborateurs me sont fidèles depuis maintenant plus de dix ans. Des liens solides peuvent donc se tisser, fort heureusement, même si le premier contact est difficile et suscite la réserve.

J'ai le vouvoiement spontané et pas le tutoiement facile, pour moi, le « tu » marque déjà la confiance et des rapports privilégiés. Un tutoiement immédiat me met toujours mal à l'aise. On attend d'un Provençal qu'il soit envahissant, alors que je suis spontanément réservé et respectueux des autres. Cela vient certainement de mon tempérament, de mon éducation, de ma famille...

1

LA VIE QUI VA

1

L'INDIVIDU, CELLULE PREMIÈRE
DE NOTRE SOCIÉTÉ

Je n'ai pas pour habitude de parler de moi, et pourtant... c'est ce que je vais faire. Ne serait-ce que pour expliquer ma démarche, l'objet de ce livre, les raisons pour lesquelles je pense avoir quelques réflexions à livrer, du fait de mon expérience de la vie à travers les différents rôles que j'ai pu tenir, entre médecine et politique.

Je vais commencer par la politique car, sans que j'en aie vraiment conscience, elle attendait son heure. Je ne suis pas certain qu'il n'y ait pas là quelque chose d'un gène corse, car nous sommes assez portés sur la chose publique. La génétique, déjà !

De fait, j'ai toujours aimé m'occuper des affaires communes, j'ai souvent été responsable de classe ; en première année de médecine, j'ai été candidat, et élu, au poste de délégué d'amphi, c'est dire que j'étais déjà sérieusement impliqué lorsque j'ai commencé mes études. À la fin de la première année, que j'ai passée avec succès mais pas dans les premiers rangs escomptés, j'ai compris qu'il était préférable que je ne me disperse pas. C'est pourquoi, en 1962, j'ai mis un terme à tout ce qui supposait un engagement, une responsabilité collective, pour me consacrer au travail. Cela a duré douze ans. En 1974, à trente et un ans, assistant, marié et père de deux enfants, j'avais passé l'internat et ma thèse. Ce premier objectif atteint, j'ai alors réalisé que je ne devais pas limiter ma vie aux livres et à l'hôpital. Il me fallait respirer, élargir mon horizon et mon champ d'action, prendre d'autres contacts, « l'air du dehors », dit-on à Marseille.

17

J'avais toujours eu un œil attentif à ce qui se passait dans la vie publique car ma conscience politique, quand je l'analyse, est en fait assez ancienne. Lorsque je séjournais chez mes grands-parents, qui ont pris leur retraite en 1953 à Marseille, je descendais le matin chercher le journal – c'était l'époque où on le déposait dans votre boîte aux lettres –, et je remontais en lisant la Une. Ce qui me passionnait, c'était de savoir si le gouvernement était tombé dans la nuit. Je trouvais absolument fabuleux que régulièrement, tous les deux, trois, quatre mois, le gouvernement tombe, et généralement en séance de nuit ! On titrait alors « Le gouvernement est tombé dans la nuit », ce que je regardais d'un œil moqueur. J'avoue que je n'y comprenais rien, qu'importe, je m'intéressais. C'était l'époque de Félix Gaillard, Edgar Faure, Mendès France... J'ai vécu 1958 et le retour du général dans une famille qui lui vouait un certain attachement. Les uns avaient fait de la résistance, un autre s'était fait prendre à la frontière espagnole en voulant passer dans les Forces françaises libres, pour finir en camp de concentration à Dora. On savait qui était de Gaulle, ce que signifiait l'engagement, et se battre pour la France. Le retour du général avait été accueilli chez nous avec un grand enthousiasme et très tôt, j'ai été gaulliste. Il faut reconnaître que le bonhomme était unique ! Bien que ce soit déjà un vieux monsieur, il était moderne, enthousiaste, quelque peu utopiste, il avait un idéal, bouleversait les choses, et quand en 1969 il est parti, j'en ai été profondément affecté, mais j'ai continué à soutenir Pompidou jusqu'à sa mort, en 1974. À ce moment-là, Chirac a encouragé à voter Giscard, et je trouvais effectivement assez séduisant cet homme qui n'avait pas cinquante ans.

J'ai alors fait un nouveau pas vers la politique en allant voir Jean-Claude Gaudin, qui s'organisait à Marseille pour préparer la relève d'une droite déconfite. Il m'a alors confié la responsabilité du club Perspectives et réalités de Marseille. Jusqu'en 1981, ce fut ma seule activité politique, car je préparais l'agrégation et un doctorat de sciences. J'ajoute que j'ai eu deux autres enfants.

En 1981, alors que je ne demandais rien à personne, Gaudin me dit : « On vient de prendre une bonne raclée, il faut penser à renouveler les cadres. Tu réfléchis depuis sept ans, tu es professeur, tu n'as plus rien à prouver en médecine, il serait bien que tu passes à l'active. » Je me suis fait tirer l'oreille, car si mon épouse avait accepté que j'entre en politique, elle m'avait mis en garde, me connaissant bien, craignant que je ne me laisse absorber. En 1982, alors qu'il préparait les élections cantonales, Gaudin me demande de réfléchir aux candidatures : « Il nous faudrait quelqu'un du club Perspectives et réalités, quelqu'un de nouveau, qui ait une notoriété, qui soit crédible, un médecin ne serait pas mal... » Je l'interromps : serait-il en train de me prendre pour un imbécile ? Il n'en est pas question. Nous avons fini par transiger. « Tu ne veux pas être élu, d'accord, fais-moi le plaisir de te présenter dans un canton où tu es sûr d'être battu. » C'est ainsi que je me suis retrouvé candidat dans les quartiers nord de Marseille, où les communistes étaient régulièrement élus depuis la Libération. Il me restait à l'annoncer à ma femme. Avant de rentrer chez moi, je me suis arrêté dans une cabine téléphonique : « Je suis candidat, mais ne t'inquiète pas, je ne serai pas élu. » Silence sur la ligne. Effectivement, je n'ai pas été élu, mais j'ai passé le premier tour. Quelle expérience ! J'ai mené une campagne dans une ambiance glaciale, les communistes m'ont harcelé en permanence, refusant la main que je leur tendais dans la rue. On nous a même tiré dessus, une nuit, pendant que nous collions des affiches. C'était le parti communiste stalinien, avec tous ses clichés, et il ne fallait pas se hasarder sur ses terres. Malgré cela, le contact avec les électeurs m'a séduit, et l'année suivante, à l'occasion des municipales de 1983, Gaudin a su me convaincre d'être candidat à nouveau. J'ai été élu, et je me suis vu confier la présidence du groupe. Face à Gaston Defferre, j'ai compris assez rapidement que mieux valait connaître son sujet. Je me suis donc plongé dans les dossiers de la même façon que si cela avait été des dossiers de médecine.

En 1985, Gaudin, toujours, estime : « Tu es président du groupe, conseiller municipal depuis deux ans, il faut que tu sois conseiller général » et, sans même attendre ma réponse, il m'a confié le canton qui jouxte l'hôpital de la Timone, où je travaille. En 86, les élections se sont passées calmement. En 88, nouvelles législatives après la réélection de Mitterrand, Gaudin me propose d'être son suppléant, avec pour argument : « On sera dans l'opposition, tu n'auras donc rien à faire. » J'accepte. Rien à faire... À ceci près qu'en 1989, après une défaite cuisante à la mairie de Marseille, il a décidé de prendre du recul en allant au Sénat. « Mon poste va être vacant, il va y avoir une élection partielle, tu es le mieux placé pour assurer ma succession. » Je lui ai demandé quarante-huit heures de réflexion : député, cela suppose un certain investissement en temps. J'en ai longuement discuté avec ma femme qui m'a simplement dit : « Je ne vois pas comment tu peux faire autrement. » L'affaire était scellée. J'en suis toujours heureux.

Rester maître à bord

Il est important de garder la maîtrise de sa vie. Bien sûr, il y a les impondérables, un cancer, un infarctus, un accident de voiture... mais dans la mesure du possible, il faut rester maître à bord.

Le commandant ne maîtrise pas la tempête, la houle, la force du vent, mais le bateau et l'équipage, ce que j'essaie d'appliquer dans ma fonction – je refuse de dire métier, parce que je ne veux pas que la politique soit pour moi un métier. Dans cet engagement, dans la façon dont je le gère vis-à-vis de ma circonscription, j'ai imposé mon style. J'entends rester maître de mon temps même si je suis disponible, si je rends service. Les administrés peuvent comprendre que j'existe pour moi, par moi, et que c'est de ma vie qu'il s'agit. J'entends la mener comme je le souhaite et, si un jour il leur arrivait de dire : « On veut un député qui nous fasse passer avant sa famille, qui arpente sans arrêt les trottoirs en serrant les mains, soit présent à toutes nos fêtes, à toutes les inaugurations », je ne me le ferais pas dire deux fois. Je constaterais que je n'ai pas su faire comprendre ma conception de l'engagement politique.

De médecine...

Et la médecine dans tout ça ? En fait, politique et médecine ont plus d'un point commun.

La médecine veut que l'on se tourne vers les autres, leurs grandes maladies et plus souvent, fort heureusement, leurs petits bobos. Et qu'on ne me dise pas, au prétexte que j'ai le titre de professeur, que je pratique une médecine sélective. Pas du tout, je fais la même médecine que n'importe quel autre médecin.

J'ai commencé par avoir la chance de rencontrer un patron d'exception auquel je dois beaucoup : Francis Giraud. Nous sommes demeurés complices et, par chance, il a été élu sénateur en 1998, année de sa retraite. Nous continuons donc de nous voir, et je m'en réjouis. J'ai été interne des hôpitaux, c'est dire que pendant quatre ans j'ai été au chevet du malade nuit et jour et jour et nuit, avec la responsabilité d'une salle, dans des services extrêmement variés et prenants. Lors de mon service national, j'ai fait une année en dispensaire au Sénégal, à Dakar, et j'en garde encore des lettres touchantes de patients. De 1974 à 1981, j'ai été assistant, et pendant cinq ans, j'ai eu la responsabilité d'un étage avec 40 lits. Ainsi, jusqu'en 1978, j'ai partagé mon temps entre la pédiatrie, examinant des enfants avec la routine des diarrhées et convulsions, entre perfusions et ponctions lombaires... et la génétique. J'ai fait mon travail de médecin et ai appris la médecine à quelques générations, y compris les gestes les plus élémentaires, mesurer un périmètre crânien, apprécier une fontanelle, une nuque un peu raide, palper la rate d'un nourrisson... Puis, ma pratique

21

a peu à peu changé, mais je n'ai pas oublié combien cette médecine me passionnait.

...en politique

Finalement, l'acte du médecin se résume à cette petite phrase : « Qu'est-ce que je peux pour vous ? » Quand je suis entré en politique et que j'ai commencé à recevoir dans ma permanence, les gens venaient non plus parce qu'ils avaient de la fièvre ou des insomnies, mais parce qu'ils voulaient un logement, cherchaient un emploi, avaient un problème social. Médecine ou politique, la démarche est au fond la même. C'est une démarche d'ouverture, d'écoute, seul le mode de prescription change ! Le même impératif, servir, rend également intéressant l'engagement en médecine et en politique.

Pendant l'année où j'ai exercé au Sénégal, j'ai travaillé sur la malnutrition des nourrissons, avant de conclure que la meilleure des préventions était le retour dans les campagnes. Il fallait trouver une solution politique afin d'éviter l'agrégation des familles autour des villes, dans des bidonvilles où ils s'entassaient, attirés par le leurre de l'emploi. Les enfants mouraient comme des mouches dans ces banlieues, alors que dans les campagnes la situation était totalement différente, ils trouvaient presque toujours à grappiller de quoi manger. À Marseille également, j'ai constaté que l'équilibre d'un enfant dépendait des conditions de logement, du climat familial ou de l'emploi du père autant que de l'air qu'il respire.

Je serais tenté de dire, et ce n'est pas qu'une boutade, que la politique est théoriquement assimilable à une médecine préventive. Le médecin dit à son patient : « Allez au bon air. » Le politique est en charge de faire en sorte que l'air soit bon dans la ville pour que l'on puisse mieux respirer, il doit tenter d'améliorer la qualité de vie.

La politique ne se résume pas à des *combinazione*, qui ne m'intéressent d'ailleurs pas. Sinon, je m'y serais pris de manière tout à fait différente. J'aurais grenouillé dans les appareils, dans les sièges nationaux et parisiens des formations pour progressivement me rendre indispensable. J'ai préféré continuer la pratique de mon métier afin de n'être dépendant de personne, ni pour vivre, ni pour exister. J'ai souvent dit non à des convocations, à des demandes de réunions et autres parce que mon travail ne me le permettait pas. Assez rapidement, à une place qui me convient, j'ai trouvé mon équilibre. Je pense être écouté, mais il est vrai que je suis un peu à part. Pourquoi n'aurait-on pas le droit d'être à part ? Il est peut-être temps de changer l'image des politiciens...

Les électeurs veulent savoir

Nous sommes actuellement dans un passage entre la démocratie représentative et la démocratie d'opinion. L'époque est révolue où, après un vote, le député était investi de la confiance du peuple pendant toute la durée de son mandat. Il agissait, décidait, votait pour ses électeurs, il les re-pré-sen-tait, c'était le représentant du peuple. Ce n'est plus ce qu'attendent les électeurs d'aujourd'hui. Ils veulent pouvoir discuter, faire valoir leur point de vue, apporter la contradiction, connaître l'argumentaire et que, sur une question donnée, leur député s'exprime après leur avoir demandé leur avis. Le député n'est plus le représentant mais le votant, l'exprimant du peuple. Il n'est plus investi d'une confiance définitive pour la durée du mandat.

Certains prennent plaisir à dire que les citoyens réagissent ainsi parce qu'ils ont été trompés, ce qui n'est pas toujours faux. Mais quand on remonte dans l'histoire, on voit que les politiques ont toujours raconté des boniments aux citoyens qui se laissaient facilement gruger. Ce n'est donc pas une trouvaille. On parle aujourd'hui volontiers de scandales, certes, mais ce n'est pas nouveau. Il y a eu Suez, il y a eu Panama et par le passé bien plus de banqueroutes qu'il n'y en a aujourd'hui. Les actes qui amènent certains à faire des séjours en Amérique du Sud ou en prison sont à mon avis bien peu par rapport à ceux de leurs prédécesseurs. Rappelons-nous la IIIe, la IVe République...

Aujourd'hui, un élu peut difficilement raconter ce qui l'arrange. Avant même qu'il commence à parler, son auditoire est informé. Il a écouté la radio, lu le journal, il en sait autant sinon plus que lui et le politique n'a pas terminé son discours que des mains se lèvent, des questions fusent auxquelles il doit non seulement **répondre**, mais argumenter, justifier, convaincre avant **de décider**. Son rôle est moins facile. Il était seul à décider, **maintenant**, il doit décider avec les autres. Son poste est **plus fragile**, les électeurs n'hésitent pas à rejeter, renverser, la **mode** est au zapping, cela se retrouve en matière de vote comme de choix de programmes télévisés.

Quant au respect de la fonction, il s'est envolé ! À moins de passer à la télévision ! On constate là encore l'influence des médias, également responsables du changement. L'univers est désormais à la porte de chacun, il arrive, il est là, dans le salon. « On l'a dit à la radio », « Je l'ai vu à la télé ». En réalité, aujourd'hui, les médias et leurs porte-parole, je ne citerai pas de noms, ont beaucoup plus de poids sur l'opinion que n'en a le politique le plus averti.

Il faudra maintenant compter avec Internet. Ce mode d'expression direct va modifier le paysage médiatique d'autant plus vite que les utilisateurs disposeront bientôt d'une multitude de chaînes privées.

De ce fait, on entre dans un monde de plus grandes libertés et de plus grandes responsabilités, ce qui m'amène à penser que le libéralisme est la philosophie dominante pour le siècle à venir. Avec toutes les réserves, les nuances et le sens que je donne au libéralisme aujourd'hui, il faut admettre que les moyens d'information disponibles sont si nombreux et l'accès à ces moyens tellement facile que tout le monde ou presque a la liberté d'y accéder. C'est le fondement de nouveaux comportements.

À choisir une chaîne plutôt qu'une autre, recevoir une information plutôt qu'une autre, assez rapidement les gens vont se rendre compte que c'est leur responsabilité qui leur donne le choix. Je suis convaincu que nous entrons dans un monde de libertés et de responsabilités parce que chacun va pouvoir agir davantage de sa propre initiative, sans oublier toutefois que nous vivons en communauté et que nous devons être attentifs au respect de la liberté de l'autre ; la difficulté est là. Quand on dit que le monde devient inhumain, c'est probablement parce que assumer seul son destin d'homme est inhumain en soi. On rejoint d'une certaine façon la pensée du stoïcisme qu'Alfred de Vigny décrit dans *La Mort du loup*. On constate que s'ils peuvent nous aider, les autres ne peuvent pas agir pour nous, à notre place, nos choix sont personnels et n'engagent que nous. Il va falloir, sans transition, passer de cet état d'assistance, de responsabilité atténuée par le fait que tout le monde décide, que tout le monde organise, à la notion élémentaire de l'individu au sens étymologique d'unité, d'indivisible. L'individu, cellule première de notre société, est aujourd'hui mis en avant. C'est pourquoi il faut absolument que la conscience individuelle soit à même d'appréhender les dimensions du destin humain et de la personne humaine.

2

EST-OUEST, LES MOUVANCES DU SIÈCLE

Nous changeons de siècle, nous changeons de millénaire, mais plus encore – et lourd de conséquences pour la planète et l'humanité –, nous changeons de civilisation. Cela s'est fait, comme toujours, de façon parfois violente, parfois insidieuse, nous permettant alors de feindre de ne pas nous en apercevoir. Aujourd'hui, nous voici devant l'évidence, obligés de réagir face à ce monde qui s'écroule, tandis que nous sommes les acteurs, souvent inconscients, de cette nouvelle civilisation qui est le résultat de deux événements concomitants.

Un *siècle de dupes*

D'une part, il y a l'achèvement de ce que j'appellerais « un siècle de dupes », car ce siècle nous a trompés. Deux fois, qui plus est.

Il nous a trompés en ne durant que soixante-dix ans, et on peut déjà affirmer que les historiens, lorsqu'ils situeront ce xxe siècle, le feront commencer en 1917, avec la révolution soviétique, pour le terminer en 1989, avec la chute du mur de Berlin.

J'entends des protestations. Celles des optimistes, il en reste encore, pour me dire : « En le faisant commencer en 1917, vous oubliez que ce xxe siècle était le siècle de l'espoir et qu'il fit une entrée somptueuse en 1900. » Effectivement, l'Exposition universelle avait attiré à Paris plus de 50 millions de visiteurs venus de toute l'Europe afin de découvrir les réalisations que les pays du monde entier exposaient, tandis que, éblouissante, la fée Électricité illuminait la fête. Au dire des organisateurs, ce devait être « [...] le seuil d'une ère dont les savants et les philosophes prophétisent la grandeur et dont les réalités dépasseront sans doute les rêves de nos imaginations » (Actes organiques de l'Exposition, 1896).

Mais, aussi réussie soit-elle, une exposition ne change pas le cours de l'Histoire. Tout au plus laisse-t-elle de beaux souvenirs.

« En faisant commencer ce siècle en 1917, vous occultez la Première Guerre mondiale et son triste bilan », m'opposeront les esprits chagrins. Mais la Première Guerre mondiale n'était pas en rupture avec la guerre de 70. C'était une suite presque logique. On a même récupéré ce qu'on y avait perdu, à savoir l'Alsace et la Lorraine !

Les bornes historiques

1917-1989. Les historiens ne s'en tiennent jamais à la simple chronologie. Ils ne retiennent pas les dates mais considèrent des périodes homogènes qu'ils ne font pas commencer et se terminer aux années pleines, début de siècle, fin de siècle. Ils retiennent les faits et s'en réfèrent à ce que l'on peut qualifier de bornes historiques, sur des critères bien définis. Ainsi, à la session de juin 1999, les candidats au bac de philosophie se virent invités à disserter sur le sujet : « À quoi reconnaît-on qu'un événement est historique ? »

Au plan historique, le xxe siècle a commencé en 1917, au terme de la Grande Guerre, ou presque, avec la révolution soviétique. Tout a basculé à l'instant où les marxistes ont pris le pouvoir. Les rapports humains changèrent de nature, de nouvelles idéologies apparurent.

À partir du moment où l'URSS a été créée – et tant qu'elle a existé –, le monde a été coupé en deux, sans que puisse exister une troisième voie. Il y eut d'un côté le bloc formé par les socialistes et les communistes, de l'autre celui du capitalisme vers lequel nous autres avons basculé.

Le mur s'effondre

Dans la soirée du 9 novembre 1989, le monde entier apprend la nouvelle. Symbole de la séparation entre l'Europe occidentale capitaliste et l'Europe de l'Est communiste, le mur de Berlin s'effondre. Les deux blocs se sont-ils rapprochés pour autant ? Pas du tout. C'est pourquoi, toute idéologie politique mise à part, j'en veux à François Mitterrand.

Jusqu'en 1989, avec le mur de Berlin, il y avait d'un côté le Pacte de Varsovie, de l'autre l'OTAN. Le mur de Berlin s'étant effondré, le Pacte de Varsovie a disparu. L'OTAN n'avait plus la même raison d'être, en tant que contrepoids. C'était, en revanche, l'occasion idéale, que cependant personne n'a su saisir, de faire une unité européenne de défense, de construire l'Europe de la défense et de la diplomatie. Or, on n'a même pas tenu compte du fait que sa partie centrale s'ouvrait et on l'a laissée en jachère, on a laissé l'OTAN exister face à un vide, ce qui est devenu bien vite insupportable à ceux qui se savaient en état de faiblesse et privés du droit d'intervention.

En 1989, Mitterrand était le mieux placé pour dire : « Le mur de Berlin étant tombé, je propose la reconstitution d'une organisation de défense européenne, une union de l'Europe occidentale allant jusqu'à l'Oural, qui soit l'équivalent européen de l'OTAN. » Nous n'aurions probablement pas eu le conflit du Kosovo, que l'on a une fâcheuse tendance à considérer comme une fatalité – puisque les débuts du XXᵉ siècle avaient été marqués par le premier conflit mondial, qui avait germé dans les Balkans !

Deux idéologies

Après nous avoir trompés une première fois en ne durant que soixante-dix ans, ce siècle nous a bientôt floués une seconde fois, et de façon sans doute plus grave encore, en nous faisant vivre au rythme d'un affrontement vain entre deux idéologies également stérilisantes. Ces deux idéologies ont été tellement présentes, contraignantes qu'elles ont dirigé de manière exclusive les actes de ceux qui se sont engagés, soit d'un côté parce qu'ils étaient anticommunistes, soit de l'autre parce qu'ils étaient anticapitalistes. Nous avons vécu à ce rythme, comme obsédés, et, progressivement, nous avons abandonné nos repères classiques. Tout ce qui était de la sphère religieuse a quitté le domaine public, dans le droit fil de ce qui avait été amorcé en 1905 avec la séparation de l'Église et de l'État. Notre vie s'est soudain trouvée privée des références religieuses qui l'accompagnaient depuis toujours.

De même, sur le plan de la pensée, quand on fera le bilan de la philosophie du XXe siècle comparée à celle du XIXe siècle ou du XVIIIe siècle, ce ne sera sûrement pas à son avantage. Les mouvements philosophiques, à l'exclusion de quelques personnalités qui ont émergé, se sont raccrochés pour beaucoup à ces deux idéologies dominantes en dehors desquelles ce siècle restera comme un siècle de pensée « molle ».

Voici qu'avec la chute du mur de Berlin, ces deux idéologies s'effondrent. En 1989, l'homme n'a plus aucune référence, aucun critère, aucun système pour le guider. Il avait tout misé, il a tout perdu. Il se trouve nu. Jamais il n'a été aussi fragile.

Est-Ouest...

La Russie s'éveille et se verrouille, et dans le même temps, le capitalisme prospère aux États-Unis. D'un côté du monde, on se veut collectivement solidaires, collectivement responsables. De l'autre, au contraire, l'initiative personnelle est considérée comme le meilleur atout de la réussite. De colossales fortunes s'édifient, des ruines surviennent, du jour au lendemain.

Le 11 novembre 1918, un an à peine après l'éclatement de la révolution bolchevique, une gigantesque fête célèbre la fin de la Première Guerre mondiale. À Paris, à Londres, à New York, les cloches sonnent tandis que, dans un wagon stationné dans une clairière proche de la gare, à Rethondes, l'amiral Wemyss, le général Weygand et le maréchal Foch signent l'armistice.

L'Allemagne recule et rend les armes. Les alliés se partagent l'Europe. Devant la Chambre, Clemenceau prononce d'inoubliables phrases : « [...] la France, hier soldat de Dieu, aujourd'hui soldat de l'Humanité, sera toujours le soldat de l'Idéal. » La guerre est finie, c'est le triomphe de la démocratie. On songe à Charles Péguy. Quatre ans auparavant, le poète tué au début de la bataille de la Marne partait « pour le désarmement général et la dernière des guerres ».

Les familles comptent leurs morts, les soldats américains rentrent au pays, la vie reprend ses droits. À peine terminée la « Der des ders », c'est le début des années folles. Les mœurs se libèrent, les femmes s'émancipent, on danse le charleston au son de la radio et des Gramophones. Sur le modèle américain, un certain confort prend place dans les maisons.

Le monde est coupé en deux. Inconsciemment, on a cherché à définir une nouvelle organisation, et cette nouvelle organisation est allée vers deux extrêmes, vers deux idéologies parfaitement opposées : individualisme et collectivisme... D'un côté comme de l'autre, on est allés trop loin. À l'éphémère victoire de la démocratie succédèrent les crises.

En même temps qu'elle provoquait une certaine curiosité intellectuelle, la révolution russe effrayait, qui avait osé déstabiliser les classes possédantes. Le fascisme en Italie, le nazisme en Allemagne eurent d'autant plus de

31

facilité à s'implanter qu'ils étaient alors confortés par la ruine de l'économie mondiale.

En même temps qu'elle redoutait l'avènement des masses, la bourgeoisie qui s'appauvrissait crut probablement se protéger en hissant les dictatures au pouvoir : Mussolini (Italie, 1922), Salazar (Portugal, 1932), Hitler (Allemagne, 1933), Franco (Espagne, 1936)...

Le monde était, de plus en plus nettement, coupé en deux. La peur, mauvaise conseillère, fit son effet avec d'autant plus d'efficacité que les possédants n'avaient pas oublié la crise de 1929.

Séparation de l'Église et de l'État

Quelques années avant la révolution bolchevique, la France avait vécu une autre forme de révolution, certes moins spectaculaire. Comme on pouvait s'y attendre, après 1870, l'Église ne manqua pas de manifester son penchant pour le retour à une restauration monarchique, ce qui ne fut pas du goût des républicains. Une « guerre froide » commença, malgré l'appel à la modération du pape Léon XIII auquel il semblait plus habile d'accepter la Constitution afin de mieux changer la législation. En 1890, il recommandait aux catholiques français, par l'encyclique « Inter-sollicitudines », le ralliement à la République.

Riposte laïque. Par la loi du 6 décembre 1905, « la République ne reconnaît ni ne salarie aucun culte », ce qui marque comme un retour à 1795. La séparation de l'Église et de l'État est officielle.

Les catholiques n'ont pas été assez vigilants et l'État a fait en sorte que reviennent dans son giron les valeurs que portait la religion jusqu'alors. On parla de « valeurs républicaines », ce qui n'était pas faux car, bien qu'exprimées différemment, elles étaient souvent copiées sur les grands principes religieux.

Heurts et tiraillements

Lorsque le monde se trouve « réduit » à deux idéologies, elles ne peuvent que s'affronter. Cela n'a pas manqué.

En France, nous avons eu en 1936 le Front populaire, mouvement né du licenciement de cinq ouvriers des usines Latécoère, à Toulouse, au prétexte qu'ils avaient chômé le 1er mai. Ce licenciement déclencha des grèves, fait jusqu'alors très exceptionnel. À l'origine, il ne semble pas qu'il y eut de mot d'ordre, mais de simples réactions de contestation : « On a gagné le droit de ne pas travailler le 1er mai et on se ferait licencier lorsqu'on l'applique ? » Pour la première fois, il y eut occupation des lieux de travail, ce que les patrons considérèrent comme une « atteinte indéniable au droit de propriété ».

La situation ne pouvait que s'envenimer, les événements s'amplifier. On ne signale cependant pas de violence. L'alcool est interdit dans les usines où l'on danse pour tuer le temps, tandis que le soir les femmes rentrent tranquillement chez elles pour s'occuper des enfants, tandis que les catholiques continuent d'aller à la messe le dimanche matin.

On n'en discute pas moins sérieusement ces avantages, considérés aujourd'hui comme « acquis ». C'est de cette tranquille et pacifique « résistance » que sont issus la semaine de 40 heures et les congés payés limités à 15 jours, selon les Accords de Matignon signés en juin 1936.

On n'a rien vu venir

En 1936 également, l'Europe optait pour une politique de la « non-intervention » en Espagne où la guerre civile éclatait le 18 juillet, tandis qu'à Berlin les nazis faisant leur propagande ; sous couvert de Jeux olympiques d'été, le nazisme s'implantait.

L'Est était sous la dictature du prolétariat collectiviste, communiste et marxiste. En Allemagne prenait corps une dictature qui se disait également populaire. Sous l'étiquette nationale-socialiste, le NSDAP, Parti national socialiste allemand des travailleurs, est devenu en fait un parti d'extrême droite.

Le système collectiviste a connu un noyau dur totalitaire auquel s'est, de façon conjoncturelle, opposée une autre dictature populiste, fascisante, qui relève cependant d'une origine à peu près identique. On est bien obligé de le reconnaître, l'arrivée de Hitler au pouvoir s'est déroulée selon un processus démocratique. Pas de coup d'État, Hitler a été porté par le peuple ! En fait, les Allemands n'ont pas voulu élire un dictateur, mais ne se sont pas pour autant opposés à son arrivée, ce qui paraît impensable aujourd'hui. Pour mieux comprendre, il faut situer dans leur contexte l'enchaînement de tous ces événements qui se sont déroulés dans un laps de temps relativement court.

La révolution soviétique éclate en 1917. Douze ans plus tard survient la crise de 1929. En 1936 s'érige le Front populaire et, trois ans après, en 1939, la Seconde Guerre mondiale ! Tout cela s'enchaîne de manière presque logique. En France, parce que la révolution industrielle déclenche la lutte des classes et suscite la montée du syndicalisme, la gauche prend le pouvoir. Estimant que les socialistes ne prennent pas de mesures assez radicales, les communistes se retirent et le Front populaire se met en place. Les Allemands, eux, réagissent de manière différente en élisant Hitler.

Je suis toujours surpris de constater que c'est dans les moments de difficultés économiques, de chômage, de précarité grandissante, sur ce terreau fait d'un étrange mélange de doutes, de craintes comme d'interrogations, que se développent des mouvements populaires susceptibles de mettre la démocratie en péril. On les croit altruistes et généreux, ces grands élans. Ils sont le plus souvent fondés sur la peur et l'égoïsme, dont il ne sort jamais rien de bon. Littérature et cinéma en sont la preuve. À travers

Le Mythe de Sisyphe (1942) et *L'Homme révolté* (1951), Albert Camus prônait une prise de conscience lucide ouverte sur le monde. Ce que, quelques années plus tard, en 1958, le réalisateur Marcel Carné symbolisera à travers *Les Tricheurs*. Pascale Petit, Laurent Terzieff, Jacques Charrier, immortalisèrent la jeunesse « existentialiste » grâce à ce film culte. Du moins pour moi – j'allais avoir quinze ans !

Pas de perdant, pas de gagnant

1945, l'Armistice vient d'être signé. Vite, vite, pour oublier la guerre et ses privations, on improvise de nouveaux rythmes sur lesquels danser, même si on ne manque pas de s'élever contre les horreurs causées par le largage d'une bombe atomique sur Hiroshima, le 6 août. 160 000 morts sur le coup. Les Américains renouvelèrent « l'opération » trois jours plus tard sur Nagasaki. 140 000 morts.

En quelques heures, toute vie fut détruite à des kilomètres à la ronde. Stupéfaction, horreur, certes... mais c'est si loin, le Pacifique ! On se donnera bonne conscience, quelques années plus tard, en 1959, en consacrant le film – au demeurant remarquable – d'Alain Resnais *Hiroshima, mon amour*, sur un scénario de Marguerite Duras.

On ne sait plus très bien ce qui se passe à l'Est, dont on est séparés par le Rideau de fer, dans une société toujours sous la loi du collectivisme et du communisme. Tandis qu'à l'Ouest, on cache mal sa peur du monde communiste et on fait la chasse aux sorcières avec d'autant plus d'efficacité qu'on bénéficie d'un véritable essor économique.

Alors que la plupart des Européens subissent encore le diktat des cartes de rationnement – il prit fin en France en 1950, mais dura jusqu'en 1954 en Angleterre –, le rêve américain commence à se concrétiser.

Notre partie du monde était sur la voie de la prospérité, sur le chemin qui propose à chacun voiture, télévision, équipement ménager, maison, nourriture à volonté, que l'on achète dans ces nouveaux grands magasins à bon marché, incitation au crédit. La publicité, qui remplace allègrement la réclame, commence à créer un nouveau style de vie. On « lave plus blanc », on « boit Coca-Cola »... La société de consommation est en marche.

Après des années de privation, on peut enfin s'offrir tout ce dont on n'aurait même pas osé rêver. On avait eu le marché noir, les restrictions. Du jour au lendemain, nourriture, réfrigérateur, voiture, télévision... on a tout. On prend enfin une revanche sur la vie. Comme pour fêter ça, pour concrétiser ce renouveau que l'on savoure, on fait des enfants. C'est le fameux Baby Boom, formidable explosion démographique qui marque la fin de la guerre, et donc le retour des hommes.

C'est l'avènement des Trente Glorieuses, que personnellement j'appelle volontiers les « Trente Trompeuses ». À l'exception des combats politiques qui continuent d'être menés en France, nous nous sommes installés dans le camp du capitalisme et du libre échange. Exit les valeurs spirituelles, définitivement, au motif qu'il faut produire et consommer pour être heureux.

Une société nouvelle

On repousse d'un revers de main tout ce qui gêne. On refuse tout ce qui dérange, tout ce qui peut être un frein, une entrave à son plaisir immédiat, ce qu'illustre avec talent le film de Louis Malle, Les Amants (1958), interprété par Jeanne Moreau, José-Luis de Villalonga et Alain Cuny. Le film, qui fit scandale à l'époque, donne l'image d'une société nouvelle.

L'égoïsme reprend ses droits. On réalise que ce que l'on avait porté au pinacle, à savoir la famille et les enfants, est justement ce qui gêne ! Je me souviens de la fin des années 50 quand, préparant le « bachot », je commençais à m'intéresser à ces problèmes. Le contrôle des naissances, la méthode Ogino, la courbe des températures, étaient au cœur de nos discussions.

Les Français, avec le confort et le goût de consommer, ont progressivement désiré avoir moins d'enfants, ils ont également repoussé le moment de fonder une famille. Parce qu'elles avaient choisi de faire des études, la plupart des femmes revendiquaient leur droit à l'égalité, affichaient, sans fausse honte, leurs désirs et leur sexualité ; il n'était plus question de créer des liens, elles voulaient être libres ! Ce qui fut bientôt d'autant plus facile que, cocagne !, la pilule est arrivée.

Le 1er juillet 1967, la proposition de loi du député Lucien Neuwirth sur la régulation des naissances fut votée en première lecture par les députés, malgré les échanges houleux qu'elle ne manqua pas de susciter. Les femmes ont peu à peu repoussé l'âge de leur première maternité.

Finies les familles nombreuses, les six, huit, dix gosses... Avec la pilule, on calcule sa descendance. C'était il y a à peine plus de trente ans, c'est devenu aujourd'hui absolument normal. Mieux – ou pire –, c'est dans l'inconscient collectif. Le nombre des enfants est devenu inversement proportionnel au niveau socio-économique de la famille. Personne n'y échappe. Je le constate quotidiennement à l'hôpital. Prenons l'exemple d'une Algérienne que l'on a dirigée vers une consultation de génétique, parce qu'elle est enceinte pour la énième fois. Lorsqu'elle arrive dans mon bureau, elle commence à comprendre de quoi il s'agit, de ce qu'on peut éventuellement lui piquer le ventre avec une aiguille pour savoir si l'enfant qu'elle porte est normal ou pas – c'est-à-dire, à ses yeux, s'attaquer à lui. Elle se lève alors, marmonnant d'abominables imprécations, et s'en va en se drapant dans ses voiles.

Il en est tout autrement avec ses filles. Celles de la deuxième génération viennent spontanément demander : « Et la pilule, comment ça marche ? » Quant à celles de la troisième génération, elles sont parfaitement intégrées dans le système. Pas question que leur père ou leurs frères se mêlent de leurs amours, elles vivent en union libre et demandent d'elles-mêmes le diagnostic prénatal. C'est d'ailleurs pourquoi cela n'a aucun sens de dire que la France va être envahie par les enfants d'immigrés, car les femmes, quelle que soit leur origine, s'alignent toujours, et rapidement, sur le mode de vie du pays dans lequel elles vivent et dans lequel leur niveau socio-économique s'élève. Mais ça, c'est une autre affaire.

Aujourd'hui, on se rend compte en définitive que c'est lui, c'est l'enfant, devenu rare ou impossible, qui donne un sens à la vie. Il devient une raison d'être, on a enfin quelque chose à donner et quelqu'un à qui le donner. Transmettre la vie est une marque de confiance, d'espérance. Une marque de foi.

Rien n'est perdu, cela se redécouvre petit à petit. Je le vois également en consultation prénatale où, après avoir été assaillis par les femmes et les couples qui ne voulaient pas d'enfants, nous sommes aujourd'hui assaillis par les couples qui veulent des enfants à tout prix.

Il y a changement, évolution dans les esprits. À quinze ans, les filles réclament la pilule. À trente ans, les jeunes femmes veulent un enfant avant qu'il ne soit trop tard et, parce que cela ne se fait pas toujours aussi facilement qu'on le supposait, le couple suggère : « Il faudrait peut-être faire une FIV », une fécondation *in vitro*.

Un *pseudo-bonheur*

En 1968, sur le thème « on nous doit tout », il fut interdit d'interdire. C'est maintenant seulement qu'on réalise, en contrepoint, l'influence négative de cette idéologie. Sur l'instant et durant les quelques années qui suivirent, il y eut comme une sorte de feu de Bengale, une flambée, un pseudo-bonheur auquel, comme les autres, je n'ai pas échappé.

J'avais vingt-cinq ans, je venais de passer mon internat et j'ai bien sûr rejoint le « collectif » d'étudiants, sans être embrigadé pour autant, mais en ressentant une certaine exaltation que je ne nie pas. Jeune interne à la faculté de médecine, je trouvais très amusant d'être face à un amphi, micro à la main, soulevant les applaudissements et décrétant que les professeurs allaient devoir nous rendre des comptes. Lorsque j'ai commencé à prendre conscience des conséquences qui ne pouvaient manquer d'en découler, j'ai voulu comprendre, redonner un sens à ce besoin iconoclaste.

En fait, 1968 fut l'apogée, la concrétisation, d'un certain courant qui se profilait depuis des années. Et au prétexte qu'il était interdit d'interdire, on a bafoué définitivement nos valeurs traditionnelles. Les idées pour lesquelles des générations d'hommes s'étaient battus n'eurent soudain plus lieu d'être. Ce fut l'effondrement d'un système, d'une idéologie, qui laisse un vide que rien depuis n'est venu combler. J'en vois encore aujourd'hui, à l'Assemblée nationale, de ces vieux députés qui ont lutté toute leur vie pour imposer ce en quoi ils avaient foi. Ils ne l'expriment pas, mais on les sent désespérés de devoir constater à quel point leur combat fut vain.

Tout était faux

D'un côté, on a enfermé l'homme dans le collectivisme. On l'a dépouillé de ses libertés, on l'a interdit d'initiatives individuelles. De l'autre, on lui a fait croire qu'il pouvait être heureux par une seule démarche consumériste. Et lorsque, en 1989, le mur de Berlin s'effondre, on s'aperçoit que d'un côté comme de l'autre, tout était faux.

À l'Est, le monde communiste est un monde pauvre, dans lequel les hommes ont perdu tout sens de l'initiative, de l'effort personnel, du dépassement de soi. Certes, on parle de solidarité, mais il n'y a rien à partager ! Après l'euphorie des débuts, l'illusion de la liberté, voici déjà bien des années que ces peuples en souffrent. Pour preuve, première timide avancée vers un renouveau de la vie spirituelle, ils ont retrouvé le chemin des églises, le geste du petit cierge que l'on allume pour instaurer un dialogue entre l'autorité suprême et soi. Et on ne le leur interdit même plus.

39

À l'Ouest, du côté du capitalisme triomphant, de la vie matérielle qui devait faire le bonheur, on a découvert qu'aux États-Unis, les classes les plus défavorisées, soit 40 millions de personnes, vivaient en dessous du seuil de pauvreté et n'avaient même pas accès aux soins les plus élémentaires. L'économie marche, mais la solidarité ne suit pas.

Comme cela s'était passé dans les années 20, les années 80 marquèrent enfin une prise de conscience. De nouvelles idées ont alors germé, de nouveaux courants sont apparus. Ainsi, et je ne veux pas installer ici une sorte de manichéisme divin, mais à titre personnel, j'y vois un signe, il n'est pas indifférent que ce soit un cardinal polonais qui, le 22 octobre 1978, ait été intronisé 264e successeur de saint Pierre. Pour la première fois depuis 455 ans, les cardinaux du sacré collège élurent un pape qui n'était pas italien ! Ils auraient pu élire un Français, un Africain, un Américain... Ils auraient pu. Et voilà que c'est un Polonais, l'archevêque de Cracovie, celui-là même qui avait su entretenir sous la cendre des braises prêtes à flamber, au sein de l'église polonaise, dans un pays soviétisé, voilà que c'est lui qui est porté sur le siège pontifical.

Philosophe, écrivain, polyglotte et sportif, Karol Wojtyla jouit d'un charisme que personne ne saurait lui contester. Le matin du dimanche 22 octobre 1978, jour de son intronisation, jour où il devint Jean-Paul II, représentant de la foi pour les catholiques du monde entier, la télévision polonaise diffusa l'événement. Pour la première fois, une cérémonie religieuse fut retransmise à travers la Pologne, pays sous domination soviétique. Il aura fallu l'accession au trône de saint Pierre de Jean-Paul II, un pape venu du bloc communiste... et le mur s'effondre.

D'un côté, on constate l'échec des régimes communistes ou collectivistes. De l'autre, celui d'un capitalisme sauvage au sens américain du terme. On s'aperçoit qu'on n'a longtemps pensé qu'à deux choses qui n'existent plus, qui se sont effondrées. L'homme est aujourd'hui à la recherche de son modèle politique : il y a déjà longtemps que nous avons perdu nos repères, sans lesquels nous ne pouvons vivre.

Sans repères, il ne nous reste guère que deux solutions. Ou on a peur, et on fait alors en sorte de remettre en place les critères que l'on avait auparavant supprimés, mais de façon plus rigide encore. Afin qu'on ne puisse les déboulonner à nouveau, on les pose avec force, on les bétonne, et cela amorce le retour des intégrismes, des fondamentalismes. Ou bien on tente de définir de nouveaux critères, de nouvelles références, de nouveaux comportements. Il n'est pas question de faire une nouvelle morale, la morale repose sur des principes éternels et fondamentaux qui se retrouvent d'ailleurs dans la Déclaration universelle des droits de l'homme, laquelle n'est jamais que l'adaptation laïcisée d'une morale initialement inspirée de principes religieux. « Tu ne tueras point » reste un principe fondamental, malgré toutes les révolutions de société.

L'homme fragile

Quand les idéologies font preuve de leur inefficacité, l'homme apparaît nu. En cette fin de siècle, dépouillé de ses repères et de ses références, il n'a jamais été aussi fragile.

En contrepoint, dans ce même temps où nous vivons la fin d'une civilisation, en apparaît soudain une nouvelle qui, celle-là, est née sous le signe de la troisième grande révolution sociale des temps modernes.

Pendant des siècles et des siècles, l'inaccessible, l'impossible, aura été pour l'homme d'« aller sur la Lune ». Aujourd'hui, c'est fait, on est allé sur la Lune. S'il n'est pas à marquer d'une pierre blanche sur le plan de l'humanité, ce XXᵉ siècle est absolument fabuleux pour ce qui est des découvertes et des réalisations scientifiques.

Au cours des cinquante dernières années, dans le

domaine des connaissances, nous avons davantage progressé qu'on ne l'avait fait au cours des cinquante derniers siècles. C'est la révolution du savoir, jamais l'homme n'a été aussi puissant. Il ne se contente plus de la Terre, elle ne lui suffit plus. Il veut l'espace, tout l'espace. Il va le conquérir.

Je me souviens de Spoutnik, premier petit satellite orbital au « bip bip » bientôt fameux, que les Soviétiques envoyèrent dans l'espace le 4 octobre 1957. Il ne lui fallait pas plus de 95 minutes pour effectuer une révolution complète autour du globe, ce qui nous paraissait fabuleux.

Un mois plus tard, le 3 novembre 1957, les Soviétiques envoyaient un nouveau Spoutnik dans l'espace. À son bord, Laïka, petite chienne à laquelle le monde entier s'intéressa. Laïka ne vécut que six jours à bord de Spoutnik, mais cela suffit pour convaincre qu'un être vivant pouvait survivre dans des conditions d'apesanteur. Un être vivant... Alors, pourquoi pas l'homme ?

Le premier homme de l'espace

De surenchère en surenchère, le monde fasciné comptait les points gagnés par Soviétiques ou Américains, au petit jeu qui les animait les uns contre les autres.

Le 12 avril 1961, à 9 h 07, heure de Moscou, un petit jeune homme de vingt-sept ans quittait la base de Baïkonour pour effectuer le premier vol habité autour de la terre. Youri Gagarine fut le premier voyageur de l'espace. Les Américains s'évertuèrent alors à faire aussi bien, et John Glenn effectua quelques révolutions autour de la Terre moins d'un an plus tard. Soviétiques et Américains n'allaient pas tarder à envoyer leurs cosmonautes marcher dans l'espace. Il fallut cependant attendre 1969 pour que l'impossible se réalise.

Ce fut le 21 juillet 1969, à 3 h 56.

Comme tous ceux qui l'ont vue, j'ai toujours présente à l'esprit l'image de ce pied hésitant qui donnait l'impression de se poser dans du talc, l'image de ces deux hommes aux gestes lents, engoncés dans leur combinaison, déstabilisés par l'apesanteur, conversant dans le même temps avec ceux qui, à Cap Kennedy, étaient assis derrière leurs ordinateurs, comme on se parlerait de part et d'autre d'une table. Le monde entier a vécu l'exploit avec émotion devant son petit écran en noir et blanc, et tous les habitants de la planète ont pu entendre Armstrong prononcer la petite phrase devenue historique : « C'est un petit pas pour l'homme, et un grand bond pour l'humanité. »

Plus symbolique encore que d'aller sur la Lune, on s'est donné la puissance de quitter la Terre. Quitter la Terre, prendre du recul, la voir au loin et avoir soudain conscience de sa petitesse, c'est extraordinaire, une véritable révolution scientifique ! Jamais l'homme n'a été aussi puissant.

Internet

Et maintenant, avec Internet, nous sommes bien, sur ce sujet, au cœur de la révolution scientifique et technologique. L'invention d'Internet est de même nature que l'invention de l'imprimerie par Gutenberg, qui s'est heurté à bien des incompréhensions. « Qu'est-ce que c'est que cette invention ? C'est pour quelques rares privilégiés, quelques nantis qui savent lire. » L'imprimerie a permis de mettre la culture à la portée de tous. Face à l'arrivée d'Internet, on a le même réflexe, le même raisonnement. Ceux qui ont l'esprit un peu moins souple, qui sont capables d'un peu moins s'émerveiller, font de la réticence, de la résistance ; tant pis pour eux. Mais les autres, ceux qui ont moins de cinquante ans aujourd'hui, ne pourront pas terminer leur vie professionnelle sans utiliser Internet dont le taux de pénétration et l'augmentation d'utilisateurs croissent à une vitesse vertigineuse. Ainsi, la moitié de la campagne présidentielle américaine va se faire sur le web ; donc, Internet devient une façon de s'exprimer à

43

la portée de tout le monde, c'est-à-dire de chacun. Chacun peut se connecter à ce réseau et, après quelques hésitations et balbutiements, avoir accès à toutes les connaissances mondiales, pour peu qu'il y passe un peu de temps, qu'il sache naviguer et trouver. Celui qui va pour la première fois à la Grande Bibliothèque de France a les mêmes difficultés avec ses fichiers. Avec un bon moteur de recherche, il suffit de taper « vache folle », « Le Titien », « Cousteau » et, immédiatement, on obtient la totalité des informations connues, répertoriées et rassemblées sur le sujet.

Cela veut dire que tout le savoir du monde est soudain à votre portée. Le musée du Louvre, Saint-Pierre-de-Rome, le monde entier arrive sur votre écran, que vous soyez dans votre salon, votre bureau ou allongé sur votre lit avec votre ordinateur portable.

Il est possible d'avoir accès à toutes les informations, y compris les informations sectaires ou prosélytes : certains sites font la propagande du nazisme ou du fascisme, de telle ou telle secte, proposent des enfants à acheter sur catalogue, des annonces pour des transactions d'organes... À quoi servirait-il de le cacher ? C'est le monde tel qu'il est. Au début, il est vrai, j'ai eu spontanément une réaction de rejet, « on ne peut pas contrôler », mais je me suis rendu compte très vite de plusieurs choses.

Il n'est pas possible de contrôler les ondes. Il vaut mieux informer, instruire, progressivement façonner, aider les consciences à se faire, à se construire et à se nourrir. C'est pourquoi je crois que le but des parents, des adultes, c'est progressivement d'armer, au sens vrai du terme, la conscience de chaque enfant, afin de lui permettre d'affronter le monde dans sa richesse, sa diversité. On ne peut pas sélectionner. C'est évidemment la rançon du progrès, de la mondialisation, des frontières qui n'existent plus. Le monde est un village, ce qui n'est pas sans danger, le premier d'entre eux, à teinte philosophique, étant le danger de cérébralisation. On établit des contacts, des liens, des conversations avec des interlocuteurs dont on n'a absolument pas la moindre idée de qui ils sont. On discute et on crée des échanges parfois intimes avec des partenaires qu'on ne rencontrera probablement jamais. On est dans la virtualité, c'est-à-dire l'imaginaire, le cérébral en tout cas. Il faut faire attention à ce que la cérébralisation ne vienne pas couper la perception des réalités, du bon sens, du toucher, du contact direct, du corps à corps, pour ainsi dire. Le deuxième danger, c'est évidemment de créer, du moins dans un premier temps, une inégalité entre ceux qui d'emblée vont pouvoir bénéficier du savoir de cette manne universelle et ceux qui n'y auront pas accès. Cela signifie que notre monde, et ça, c'est un enjeu politique, est confronté à un défi majeur : former tout le monde, les enfants y compris, à accéder à Internet, lequel doit se démocratiser comme se sont démocratisés le téléphone, la voiture, la télévision, le réfrigérateur, le micro-ondes, l'avion, le train...

Aujourd'hui, nous connaissons les dangers de l'illettrisme. Demain, ceux qui ne sauront pas dominer Internet et les technologies de l'information et de la communication souffriront d'un nouvel illettrisme. Ils auront les plus grandes difficultés à s'intégrer et à trouver leur place dans le monde. C'est un devoir que de prévenir ce nouveau mode d'exclusion.

Le troisième danger est l'atteinte à la vie privée. Ce progrès dont on ne peut déjà plus se passer, qui va réformer et révolutionner notre enseignement, notre culture, notre économie, nos contacts avec les autres, notre connaissance du monde, va nous confronter à un excès de liberté. Laquelle pourrait bien se payer d'une sorte de contrôle, une analyse de ce qui a été fait. Il faut être très vigilant. Nous sommes avec Internet à un stade où ce n'est pas l'invention qui est dangereuse, c'est l'utilisation qu'on en fait.

Internet permet à certains de vivre et de travailler dans des villages où ils trouvent une meilleure qualité de vie sans être obligés de faire tous les jours des dizaines de kilomètres parfaitement inutiles. C'est un véritable progrès. Mais si on en arrive à un excès, si ce modèle se généralise, c'en est fini du regard croisé, du sourire échangé... Plus on aurait de facilités de communications, plus on serait confrontés à des solitudes. L'avenir va dépendre de la façon dont nous maîtriserons cet instrument magnifique.

Il y a d'un côté le risque de l'enfermement, de l'autre la chance d'une très grande ouverture. Ce progrès doit être apprivoisé et enseigné à l'école, dans les universités, dans les écoles professionnelles, les universités pour temps libre, y compris pour personnes âgées. Il faut aller de l'avant.

À mon avis, les petits enfants « sauront » Internet avant de savoir lire, ou presque, comme ils sauront lire le français et l'anglais avant des adultes qui auront probablement passé le baccalauréat. La plupart des réseaux étant internationaux, Internet sera un outil de communication extraordinaire, une mise en commun fantastique. C'est un regard sur le futur.

On a gommé l'espace et le temps

On entre dans un monde de plus grandes libertés et de plus grandes responsabilités. Voici la preuve que la révolution scientifique n'est pas seulement biologique, elle passe aussi par l'informatique, l'électronique, la communication... Elle révolutionne nos références et nos repères. Tout s'amplifie. On ne considère plus notre univers proche de la même façon. Ainsi, on ne dit plus « Paris est à 850 kilomètres de Marseille », mais « Paris est à une heure de Marseille ». Aujourd'hui, il est plus facile d'aller le temps d'un week-end à New York – les plus fortunés peuvent même passer le mur du son en prenant le Concorde – qu'au siècle dernier à Deauville. On voyageait en calèche, en diligence, on devait faire étape dans des relais pour changer les chevaux. On arrivait épuisé après des heures, voire des jours de route, bien content si on ne s'était pas fait dévaliser par des bandes de pillards ! Quand Stendhal allait en Italie, son voyage durait des semaines, des mois. Lorsque les chrétiens partaient en

Croisades à Jérusalem, ils partaient pour quatre, six, dix ans...

Le monde est devenu à taille humaine ; tout ce que chacun fait sans y penser, chaque jour, n'était même pas imaginable il y a seulement cent ans. Même si sur bien des points il y aurait beaucoup à redire, nous vivons un siècle exceptionnel. Mieux, nous le vivons dans un mouvement accéléré parce qu'il a gommé les notions d'espace et de temps.

Cela a pu se faire grâce à l'avancée scientifique, grâce à la technique, mais il arrive un moment où on se demande si l'homme va pouvoir absorber, digérer tous ces changements, et bien les digérer. Ce qui suppose une réflexion philosophique profonde ou un raisonnement perpétuel et une remise en question permanente. Ce n'est pas toujours le cas.

La science a fait d'énormes progrès, nous avons fait d'extraordinaires découvertes. Le problème est que dans le même temps, on ne s'est pas posé les questions qui auraient dû accompagner chacune de nos avancées, chacune de nos découvertes. On ne s'est pas dit : « J'ai trouvé ça. Qu'est-ce que je vais en faire ? » On l'a utilisé, sans plus réfléchir.

On a eu la bombe atomique, et on n'a pas attendu longtemps avant de bombarder Hiroshima.

On a eu la pilule, et de très nombreuses femmes en âge d'avoir un enfant l'ont prise. Aujourd'hui où la génétique progresse à grands pas et fait des découvertes presque quotidiennes, on répète les mêmes erreurs, sans plus réfléchir. On manipule les gènes, ce qui est fabuleux mais, au lieu de s'émerveiller et de chercher quels peuvent en être les effets, de se poser des questions : « Seront-ils bons ? », « Seront-ils mauvais ? », on manipule à tour de bras. En avant le transgénique. Maïs, colza, riz, tomate, pomme de terre, fraise, laitue, tabac... les supposés prédateurs n'ont qu'à bien se tenir !

On peut, bien sûr, me rétorquer que si on fait des découvertes, c'est pour les utiliser. C'est bien là mon avis. Mais j'insiste : lorsqu'on fait une découverte, il est important de se poser quelques questions. À qui cela pourra-t-il être utile ? À quoi cela pourra-t-il servir ? En quoi est-ce que cela pourrait améliorer la vie des uns ou des autres ? Quels sont les dangers ? Les risques ? C'est un vrai combat à mener entre deux certitudes qui s'opposent. La certitude de celui qui trouve. La certitude de celui qui utilise.

Il semble qu'il y ait entre elles peu de place pour ces réflexions. Or, si on ne pose pas de question, cela signifie qu'on impose sa vérité, et la « vérité » des multinationales, pour ne parler que d'elles, me semble aller davantage dans le sens de leur chiffre d'affaires que dans celui du bien-être de l'humanité.

Le citoyen demande des comptes

Fort heureusement, en cette fin de siècle, on assiste à un vrai mouvement d'opinion. Le citoyen demande des comptes, il veut être informé et, pour cela, il vient s'inter-caler entre le savoir de ceux qui découvrent et le pouvoir de ceux qui imposent. Il comprend qu'il y a des questions, et non content de vouloir qu'on les pose, il veut aussi qu'on lui donne les éléments de réponses. Il veut qu'on lui explique, qu'on lui expose...

Ainsi, la pilule contraceptive. Les couples ont compris, depuis longtemps déjà, que la pilule était une innovation intéressante dans leur vie amoureuse et sexuelle. Dans un sens, c'est une libération... Ce n'est qu'après, bien après, que les couples réalisent le prix à payer. S'ils n'ont plus d'enfants non désirés, il est fréquent qu'ils n'aient pas tous les enfants souhaités, car la vie fertile d'une femme est limitée dans le temps. C'est pourquoi il est préférable d'avoir ses enfants entre... je ne veux pas être dirigiste, disons entre vingt-trois et trente-cinq ans, c'est la meilleure période. Après, mais pas très longtemps après, il est bien sûr toujours possible d'avoir des enfants, mais c'est plus risqué et plus aléatoire. Ils découvrent alors qu'il est regrettable de reporter à plus tard la décision de donner la vie. Un enfant, cela ne se fait pas toujours à la demande, et plus on repousse ce moment, plus on court le risque de ne plus pouvoir en avoir. Cette libération, essentielle, peut donc conduire à des effets pervers si l'on n'y prend garde.

Plus terre à terre, le citoyen se préoccupe également – depuis peu il est vrai – de ce qu'il a dans son assiette. Il a raison, mille fois raisons, le citoyen qui mange deux, voire trois fois par jour ! D'autant que, il le sait maintenant, on met tout et n'importe quoi, dans son alimentation ! Du poulet nourri aux « farines grasses » au maïs transgénique !

Le citoyen s'inquiète, et ce comportement nouveau démontre un sens des responsabilités enfin retrouvé. On est loin des caprices de Mai 68 qui se limitaient au droit de vivre comme on l'entendait. Il n'est plus question aujourd'hui de bonheur à n'importe quel prix. Jeunes et moins jeunes sont également inquiets de leur avenir et veulent donner un sens à leur vie. Beaucoup plus que le « Donnez-moi du plaisir » des années passées, leur quête est aujourd'hui : « Aidez-moi à donner un sens à ma vie ».

Cela prendra du temps. On ne renonce pas, du jour au lendemain, à ce qui a été une règle de société, il est d'abord indispensable de poser de nouveaux repères. Par rapport à la famille, par rapport à l'argent, par rapport au confort et au temps.

Déjà, on l'a vu, nous vivons différemment. Nous avons d'autres aspirations, mais même si elles se profilent, les nouvelles règles ne sont pas encore posées. Elles le seront avec d'autant moins de facilité que nous n'avons plus de barrières, ce qui signifie que nos limites changent. L'homme est en train de changer d'horizon. Il doit l'accepter en même temps que, pour mieux le vivre, mieux y faire face, plus que jamais, il a besoin de ses racines.

La jeune philosophe Simone Weil (elle est morte à Londres en 1945, à trente-quatre ans) l'a démontré avec passion dans un texte magnifique, L'Enracinement. Prélude à une déclaration des devoirs envers l'être humain.

« L'enracinement, écrit donc Simone Weil en 1943, est

peut-être le besoin le plus important et le plus méconnu de l'âme humaine. C'est un des plus difficiles à définir. [...] Chaque être humain a besoin d'avoir de multiples racines. Il a besoin de recevoir la presque totalité de sa vie morale, intellectuelle, spirituelle, par l'intermédiaire des milieux dont il fait naturellement partie [...] Mais un milieu déterminé doit recevoir une influence extérieure non pas comme un apport, mais comme un stimulant qui rende sa vie propre plus intense. »

L'arbre et ses racines

L'homme d'aujourd'hui regarde au-delà des frontières. Bien au-delà de l'Europe, il porte un regard toujours plus étendu sur ce qui l'entoure. Semblable à un arbre, il s'élève et étend son domaine de plus en plus loin.

Il ne peut pas absorber le processus de globalisation du monde, le processus d'ouverture de l'Europe, du dépassement de la commune, du département, de la région, du pays, si dans le même temps, il n'est pas « de quelque part », comme moi avec mes racines provençales d'un côté et corses de l'autre, s'il ne s'est pas enraciné dans sa ville, ce que j'illustrerai avec mes références marseillaises, mon « parler » marseillais.

Si l'identité est indispensable à l'ouverture au monde, ceux qui rejettent « l'autre » sont ceux qui sont fragiles, ceux qui, n'ayant pas confiance en eux, ne se sentent pas assez solides, parce qu'ils ont peur.

Les découvertes du xxe siècle, leurs applications, nous ont déracinés. Nous avons perdu nos références, la notion de famille, notre lopin de terre... Ces problèmes sont au cœur d'une vision politique, au sens noble du terme, et il suffirait alors d'un message politique fort pour faire passer l'idée de l'ouverture au monde.

Aujourd'hui, l'homme s'interroge. Il sait qu'il a de nouveaux choix à faire, à partir de nouveaux critères auxquels il lui faut répondre. C'est l'émergence de l'éthique.

3

LE CHEMINEMENT DE L'ÉTHIQUE

Avant d'aborder les nouvelles questions, les nouveaux problèmes qui, du fait de la révolution scientifique, se posent à l'homme aujourd'hui, il faut évoquer la question de l'éthique, puisque, médecin généticien et député, je suis tout particulièrement impliqué. J'ai créé un enseignement d'éthique largement ouvert et multidisciplinaire il y a plus de dix ans à la faculté de médecine de Marseille, j'ai siégé au Comité consultatif national d'éthique pendant quatre ans, et j'ai en charge une bonne part de ces questions au Conseil de l'Europe.

Je crois pouvoir donner ma conception du mot, de son application, encore que d'autres s'y soient essayés avant moi, à commencer par les auteurs de dictionnaires. C'est pourquoi je vais tout d'abord répondre à ces deux petites questions, pour l'instant à la mode, que ne manquent pas de vous poser ceux qui veulent vous cataloguer : « Êtes-vous Larousse ? » Traduisez : « Êtes-vous un homme classique et traditionnel ? » Ou « Êtes-vous Robert ? », c'est-à-dire un homme plutôt moderne. En l'occurrence, je réponds sans hésiter : les deux. Pour la simple raison que Larousse et Robert donnent la même définition du mot éthique. « Science de la morale » pour le premier, qui illustre son propos par L'*Éthique* de Spinoza. « Science de la morale » pour le second, qui précise : « art de diriger la conduite ». Ce que j'aurais tendance à préférer, cela correspondant mieux à l'application de l'éthique aujourd'hui.

Qu'est-ce que l'éthique ? Pour moi, un questionne-ment. C'est-à-dire la recherche de la meilleure attitude, du comportement le plus adapté, du choix le plus judi-cieux face à de nouvelles situations, telles qu'on les ren-contre presque chaque jour, au fil des avancées de la science...

Je vais faire une comparaison qui risque d'irriter les esprits rigoureux, mais qu'ils y réfléchissent à deux fois avant de la rejeter. Je dirais, j'ose dire, que la morale est comme une boîte dont les outils – les principes – seraient soigneusement rangés dans un coin de notre esprit. On ne les utilise qu'en cas de nécessité. Une fuite ou un court-circuit ? Après s'être interrogé pour tenter de com-prendre ce qui s'est passé, on va chercher sa boîte à outils pour essayer de réparer. Lorsque l'on se questionne sur la réponse à apporter face à de nouvelles situations, on doit chercher dans sa boîte à outils les réponses qui y sont rangées. Comme si le cheminement éthique était une réactualisation de nos principes moraux, que nous remettrions en quelque sorte en service. Quand il n'y a rien à réparer, on ne va pas chercher ses outils. Quand on ne se pose pas de questions, on n'a pas à aller chercher ses principes.

Connaissance et morale

En complet désarroi, notre société semble presque devenue inhumaine : l'environnement se dégrade, l'em-ploi se dérobe, l'exclusion progresse. Or, une société n'a de valeur qu'en fonction de la valeur que l'homme s'ac-corde à lui-même. Face à cette société qui ne lui corres-pond plus, il est soudain appelé à s'interroger sur sa propre humanité. C'est là tout le sens de l'éthique, laquelle ne peut être placée à la remorque de la science dont elle recevrait ses normes, sous peine de perdre sa nature même. Il s'agit bien, dès lors, de la recherche de règles pour l'action, reconnues comme bonnes dans une société et variant donc d'un temps ou d'un pays à l'autre.

Confrontés à de nouvelles connaissances dont découlent de nouvelles situations, nous avons à exercer de nouveaux choix, et ces choix ne peuvent résulter que d'un questionnement fondé sur des valeurs philosophiques, morales ou métaphysiques.

Ce questionnement est individuel : « Comment vais-je réagir dans telle ou telle situation, en fonction de mes convictions, résultats de mon éducation, de mes croyances, de ma philosophie personnelle, de mes références ? » Mais cette interrogation est également collective, car nous vivons ensemble. Nous avons besoin les uns des autres. Je vais, pour illustrer ce propos, faire référence à une découverte et à une situation qui, pour ne pas être véritablement nouvelles, n'en continuent pas moins à poser questions et problèmes à ceux qui doivent quotidiennement y faire face.

Je veux parler de la contraception et de l'IVG, dont la reconnaissance par la loi française date de 1975. Vingt-cinq ans, c'est assez pour que la transgression soit devenue, hélas, habitude. Et pourtant, vingt-cinq ans plus tard, les problèmes causés par l'IVG ne sont toujours pas réglés, alors même que l'on envisage d'élargir les effets de la loi en autorisant son application aux mineures non munies de l'autorisation de leurs parents, qui leur était jusqu'alors nécessaire. Voilà qui n'est pas sans poser de questions ! Tout au moins aux médecins qui devront pratiquer cet acte.

Dans un récent rapport, le professeur Israël Nisand a souligné que l'IVG dans notre pays ne faisait toujours pas l'objet d'attentions suffisantes permettant l'application de la loi française de 1975, laquelle prévoit d'accueillir, de conseiller, de s'entretenir avec les femmes et de leur laisser le temps de la réflexion. Bref, on peut voir là une sorte non pas de désintérêt et de désaffection, mais de négligence, et aussi l'expression d'un mal-être.

Je connais bien ces problèmes. Je travaille dans un CHU et je peux dire que même les plus farouches partisans de l'IVG ne sont pas des prosélytes. Avec les progrès de la médecine, l'IVG n'est pratiquement plus un acte lourd sur le plan physique, mais le reste, en revanche, sur le plan moral. Et c'est seulement parce qu'ils sont convaincus que, malgré tout, c'est un moindre mal dans bon nombre de cas, que des médecins acceptent de le pratiquer. On ne peut envisager une vie de médecin qui, du matin au soir, tous les jours de la semaine, quatre semaines par mois, consisterait à pratiquer des IVG. Cela explique un éloignement de ceux de la première vague, ceux qui, après avoir fait en sorte que cette possibilité soit accessible aux femmes, prennent un certain recul. D'autant que tous les moyens nécessaires à un fonctionnement correct prévu par la loi n'ont toujours pas été mis en œuvre. On manque de conseillères conjugales, de psychologues, de vacataires dont les statuts ne sont pas reconnus. On a, avec le recul, l'impression que la loi a été votée dans l'urgence, qu'elle a été bien mise en œuvre mais, progressivement, que les choses se sont dégradées. D'autant que, il faut tout de même le rappeler, l'IVG ne peut pas être un idéal en soi.

Sida, drogue, cancer, greffes d'organes... d'autres urgences sont bien vite apparues. Il y a tellement à faire que l'IVG ne peut être considérée comme une priorité.

Le rapport Nisand démontre une sorte d'inégalité au regard de l'avortement, en fonction du niveau d'éducation des femmes, de leur niveau socio-économique et quelquefois même de la situation géographique, qui fait que les conditions ne sont toujours pas réunies pour une bonne application de la loi de 1975. En soulignant ce qui est une inégalité parmi tant d'autres, il a raison dans son analyse objective. D'où une première conclusion, que les médias traduisent hâtivement par : « Il faut faciliter l'avortement. »

Non. Il ne faut pas faciliter l'avortement ! Il faut que les moyens prévus par la loi de 1975 soient réellement mis en œuvre afin que les femmes puissent disposer de lieux où on les accueille, où on les écoute, les conseille, les informe et où elles peuvent, après le délai de réflexion nécessaire, faire en toute liberté le choix d'une interruption de grossesse.

Un certain nombre de citoyens sont opposés à l'interruption de grossesse. Je ne parle pas des traditionalistes, mais de ceux qui reconnaissent la liberté de l'IVG et n'acceptent pas que, par le biais de leurs impôts, ce soit leur argent qui finance ces actes. Ils souhaitent un autre mode de financement particulier à ce type de prévention plus médico-sociale que médicale, qui n'a pas, de ce fait, à être assimilée à la prise en charge de maladies telles le cancer, l'hypertension ou le diabète sucré. Il y a déjà là une première non-compréhension qu'il faudrait régler.

J'entends bien ce discours, je le comprends parfaitement et je ne me sens évidemment ni le droit de condamner ni celui de juger. Je pense qu'une femme doit être seule à même de décider en pareil cas, ou avec son compagnon, si compagnon il y a. Il n'en reste pas moins une interrogation fondamentale, dont on fait cependant assez vite l'économie, à tort. Il n'est pas normal qu'avec les procédés contraceptifs dont toute femme dispose aujourd'hui, la pilule, le stérilet, les préservatifs, ou encore la pilule du lendemain, l'on continue à avoir dans notre pays, bon an mal an, entre 200 000 et 220 000 IVG.

Il y a eu, en 1998, d'un côté 740 000 naissances, de l'autre 220 000 IVG. Soit 1 million de conceptions, dont une sur cinq se termine par une IVG ! Les chiffres font frémir. Il est urgent de prendre des mesures plus efficaces qui conduiraient peu à peu à tarir cette source d'avortements.

Personnellement, je trouve cette situation invraisemblable et je serais beaucoup plus intéressé par un rapport qui s'interrogerait : « Comment se fait-il qu'avec les moyens de contraception dont nous disposons aujourd'hui, une fécondation sur cinq se termine encore par une IVG ? »

La meilleure et la plus efficace des réponses serait certainement de développer dans les lycées une éducation sexuelle claire à partir de la réalité de l'homme et non pas en parlant des oursins, des petits pois, des fougères et autres superbes modèles botanico-animal. Il faudrait que l'on expose clairement la sexualité et la reproduction – c'est ce que j'ai voulu faire dans un ouvrage intitulé

Sciences de la vie et de la terre, dont un tome est destiné aux élèves des collèges, l'autre à ceux des lycées. Ma démarche était d'ouvrir les jeunes esprits, leur exposer les questions, les comportements et leurs risques. Leur apporter des réponses satisfaisantes qui les mettent sur la voie d'actes sexuels pensés et réfléchis. Une société qui continue à interrompre une grossesse sur cinq est une société qui ne sait pas prévenir ses difficultés. Il y a là un problème profond qui n'est pas sans poser de graves questions.

Le deuxième point soulevé par le rapport Nisand concerne les mineures. C'est un vrai et dramatique problème que celui des mineures face à l'IVG, et ceci d'autant plus que nous avons maintenant en France une population d'origine maghrébine, donc musulmane, où les filles sont encore souvent sous l'autorité énergique et intransigeante des hommes de la famille, le père ou le frère aîné. Une mineure qui annoncerait qu'elle est enceinte et souhaite avorter serait l'objet non seulement de représailles violentes, mais probablement d'un rejet profond.

Il faut également tenir compte des familles où on ne se parle pas assez, où on ne sait pas comment se parler, qu'il s'agisse de familles vivant dans des conditions difficiles et précaires ou au contraire dans des situations matérielles douillettes leur faisant perdre de vue l'essentiel.

À quatorze, quinze, seize ou dix-sept ans, bientôt dix-huit, une fille qui se trouve enceinte ne peut pas avorter parce qu'elle est mineure. Il lui faut l'autorisation de ses parents, ce qui peut donner lieu à des ruptures, des drames personnels, voire des conduites suicidaires. Pour répondre à cela, il est impensable de proposer cette solution, certes efficace mais qui, à mon avis, n'est pas la bonne, qui consiste à dire « les mineures peuvent librement se faire avorter ».

J'entends bien cette proposition et je la passe à la moulinette de mon raisonnement.

Elle est dramatique, la situation d'une fille de seize ans qui se trouve enceinte et qui ne peut pas en parler à sa mère. Quelle solitude ! Elle va devoir aller seule consulter un médecin. L'interruption aura éventuellement lieu et, le soir, elle rentrera chez elle sans avoir personne à qui parler, à qui se confier, ce qui est bien lourd à porter. Cette interruption va traiter l'épiphénomène, si on me passe l'expression, mais sans que personne ne se soucie ni de l'amont, ni de l'aval. Or, on ne peut pas aller faire une interruption de grossesse comme on va chez le dentiste. Il y aura eu, en amont, le triste constat d'un manque de confiance, d'un manque de communication et d'un climat familial déplorable.

En aval, il ne faut pas prendre le risque de la récidive. Il ne faut pas prendre le risque que dans un, deux ou trois ans, la même situation se reproduise, qu'il y ait une nouvelle grossesse non désirée. Pour éviter cela, il faut un accompagnement effectif, une véritable prise en charge psychosociale. Il faut que l'on éduque efficacement, sur le plan de la contraception comme sur celui des responsabilités.

Il est certes toujours possible qu'une fille mineure aille voir un médecin, qu'elle puisse avorter puis être suivie, en consultation, par un travailleur social ou une psychologue, quelqu'un qui va l'accompagner, mais que les parents ne soient pas au courant me paraît délicat et dangereux. Et la première conclusion que l'on puisse en tirer c'est, si les parents ne s'en rendent pas compte, qu'il y a une incompréhension, quelque chose qui ne va pas dans la relation familiale. La seule véritable question à se poser est de savoir comment restaurer un climat de confiance à l'intérieur des familles. Comment faire en sorte qu'une mère et sa fille puissent se parler à temps, qu'une mère puisse informer sa fille, la mettre en garde et, éventuellement, l'accompagner le jour où difficulté il y a ?

Ce qui m'amène tout naturellement à aborder le sujet de la pilule du lendemain à l'école. Au-delà de l'effet médiatique qu'a pu susciter l'annonce de cette mesure se pose le problème, à mes yeux dramatique, de l'acte sexuel toujours plus banalisé. C'est d'ailleurs la conséquence logique d'une carence sur laquelle on jette un voile pudique afin de ne pas voir les traumatismes qu'elle provoque, tout on se donnant bonne conscience par l'installation de distributeurs de préservatifs dans la cour de l'école sans autre forme d'information ! Il n'y a pas, en amont, une éducation sexuelle qui devrait avoir sa place, au même titre que l'éducation civique et morale, dans tout programme éducatif. De ce fait, non seulement les jeunes ne mesurent pas la portée de leur acte, mais ils n'ont aucune conscience des risques qu'ils prennent.

La pilule du lendemain ne saurait être qu'une mesure prise en cas d'extrême détresse. Et encore faudrait-il qu'on m'assure qu'il y a bien une infirmerie avec, chaque jour, un médecin ou une infirmière prêt à recevoir, écouter et conseiller, dans chaque lycée et collège de France. Dans le cas contraire, on va se trouver confrontés aux problèmes que souligne le rapport Nisand à propos de l'IVG, que je viens d'évoquer. La situation ne laisse pas d'inquiéter, car les mesures d'accompagnement ne suivent jamais !

C'est en outre l'aveu d'un acte non protégé qui, s'il n'est pas toujours suivi d'une grossesse, peut amener à contracter le sida, ou une MST souvent génératrice d'infection et de stérilité dans l'avenir. Il serait bon d'y penser.

En matière d'éducation sexuelle, on ne peut se dédouaner ni se donner bonne conscience en tendant une bouée à une adolescente en détresse. Cette mesure souligne un échec social. Comment qualifier autrement la perte des repères, l'exaltation de la liberté sans responsabilité, la solitude entérinée dans un acte qui pourtant symbolise le partage et l'attention à l'autre ? Comment qualifier autrement le maintien élevé du nombre d'IVG ? Le nombre important de contamination par le HIV ? Le nombre insupportable de tentatives de suicide chez les jeunes quand manque la notion d'idéal, que rien ne vient donner un sens à la vie et que l'important devient dérisoire ? Comment qualifier autrement le nombre croissant de violences sexuelles dues à une sexualité non maîtrisée, sans autres conséquences que l'absorption d'une pilule du lendemain ?

Le médecin que je suis est capable de tout entendre, de tout comprendre et de transgresser l'interdit pour venir en aide à chaque détresse : donner une pilule du lendemain, envisager une IVG – fût-ce dans des circonstances dramatiques de mineures en rupture de lien familial. Mais je ne saurai jamais admettre qu'il s'agisse là de solutions acceptables et définitives qui pourraient donner bonne conscience aux adultes, qu'ils soient parents, enseignants ou politiques.

Il faut absolument mettre en place une politique globale qui informe les jeunes et les responsabilise de façon à ce qu'ils ne considèrent pas l'acte sexuel avec le simple intérêt gourmand qu'ils auraient pour un cornet de glace. Il est temps que la famille, l'environnement familial comme l'Éducation nationale, prennent conscience de leur place et de leurs responsabilités vis-à-vis des jeunes. Sinon, aucune des belles mesures que les gouvernements se plairaient à leur proposer ne saurait être efficace et garante de leur avenir.

La maîtrise de l'homme

Confrontés à de nouvelles connaissances, nous voici contraints d'exercer de nouveaux choix ; chaque jour, un nouveau domaine de l'action s'ouvre à la question du devoir. Que dois-je faire ? Comment me comporter pour être et rester un homme ? En éthique, la nouveauté ne va pas de soi car l'homme, lui, ne varie pas avec le temps. C'est pourquoi, bousculé, déstabilisé par ses propres découvertes, d'autant plus fragile que jamais il n'a été aussi puissant, le voici contraint de poser des repères éthiques dont l'identification se résume au vide.

Jamais encore la question de la maîtrise de l'homme à venir, notamment au travers du génie génétique, ne nous avait effleurés, si ce n'est à la lecture d'ouvrages de science-fiction. Insémination artificielle, manipulation

génétique, transformation radicale de l'espèce humaine...
Tout cela semblait du domaine de rares savants fous, eux-
mêmes nés de l'imagination débridée de quelques écri-
vains prolixes. Mais pas du tout ! Voici que soudain, nous
y sommes, tout cela « est », à la portée de chaque être
humain ! Et les éthiques antérieures ne peuvent nous être
d'aucune aide, qui n'ont jamais formulé de telles questions.

Or, les progrès scientifiques sont tels qu'ils nous pla-
cent tous, un jour ou l'autre, face à des situations qui
demandent une décision que la morale d'hier n'aurait
même pas eu à désapprouver, car le problème n'existait
pas. Aujourd'hui, tout est possible, l'homme a en main
ces clés que sont les connaissances et leurs applications :
à lui de choisir. À ceci près que les progrès sont tels, et
tellement rapides, que la société doit construire de nouveaux repères si elle veut ne pas se laisser bousculer par
les applications – hier encore impensables, aujourd'hui
évidentes – de la science. L'éthique s'impose comme une
préoccupation majeure dans la quasi-totalité des secteurs
d'activités humaines, car l'homme s'interroge sur le bien-
fondé de ce qu'il fait, du système dans lequel il est.

Informatique et génétique

Généticien, je prendrai pour exemple le génome dans
la connaissance duquel nous progressons à une vitesse
inattendue.

Il y a dix ans, on pensait avoir décrypté la totalité du
génome en 2010. Aujourd'hui on pense pouvoir ramener
cette date à 2001 ou 2002. C'est-à-dire demain. La recherche avance d'autant plus rapidement qu'on est en train
de marier deux techniques prodigieuses : on allie la puissance de l'informatique et de la micro-électronique à celle
de la génétique moléculaire, ce qui ne va d'ailleurs pas
sans poser d'énormes problèmes au regard du respect de
la confidentialité, de l'intimité des personnes.

On a récemment créé ce qu'on appelle les « puces à ADN ». Quand on connaît le nombre d'informations enregistrable sur la seule puce d'une carte bancaire, numéro de compte, mot de passe, adresse..., il y a de quoi frémir car, maintenant, une simple puce peut révéler des milliers et bientôt des millions d'informations génétiques. C'est invraisemblable, s'exclameront les candides ! Pas du tout. On peut très bien imaginer, à partir d'une micro-puce insérée dans un lecteur, pouvoir lire tout le patrimoine génétique de chaque personne.

Il ne semble alors plus possible de maintenir la séparation radicale de la connaissance et de la morale. Il est temps de rétablir dans ses droits la métaphysique, philosophie première, pour résister à la pression d'une rationalité scientifique réduite à la production des technologies. En vertu de quoi serions-nous moralement tenus de répondre des bienfaits et méfaits d'un « progrès » qui ne connaît d'autres limites que celles, provisoires et mouvantes, de ses propres pouvoirs ? Il y a bel et bien urgence car les nouvelles connaissances ouvrent de nouvelles libertés, et confèrent de ce fait de nouvelles responsabilités.

Un problème se pose : est-ce une libération que de savoir ? Est-ce, bien au contraire, un enfermement ? Dans beaucoup de domaines, il est évident que la connaissance libère, mais dans certains cas, celui-ci en particulier, elle peut aussi enfermer, tout au moins dans un premier temps.

Ce qui ne va pas sans poser de questions, car nous voici dans une période où les progrès sont trop profonds, trop rapides, trop nombreux pour que la conscience puisse les suivre dans sa réflexion et sa recherche de repères. Plusieurs processus différents et simultanés ont peu à peu concouru à affaiblir l'éthique entendue comme impératif catégorique. Les valeurs religieuses transcendantes sont passées dans le domaine laïc, inhérentes à la nature de l'homme dont les actions amplifiées par la technique sont devenues d'une portée infinie. Dans le même temps, un processus de collectivisation contribuait à arracher le sens de leur action aux individus pour le projeter dans la classe sociale, l'état. La lecture sociologique de chacun des actes de la vie, vote, mariage, suicide, va dans ce sens, tandis qu'un mécanisme d'individualisation a détruit ces liens communautaires qui faisaient la famille, le clan, l'appartenance religieuse. Voici venu le temps des arbitrages privés, et quand l'individualisme gagne, le devoir s'édulcore...

Or, la science, parce qu'elle s'en tient aux faits, ne peut en aucun cas fonder une éthique. Ainsi la médecine peut, bien avant la naissance, dire si un enfant est normal ou malformé. Il revient aux parents de prendre la décision de le garder ou pas. La science peut dire si un malade est condamné à plus ou moins long terme, mais il revient au médecin de le garder en vie le plus longtemps possible. Ce sont bien là encore de nouvelles connaissances qui conduisent l'homme à faire de nouveaux choix. Quelle attitude adopter ?

Altérité et temporalité

Les choix que chacun effectue ont nécessairement des conséquences sur l'autre et sur demain, ce qui nous conduit à nous interroger au niveau collectif. Puisque nos choix ont des conséquences sur l'autre et sur demain, puisque nous sommes supposés vivre ensemble, il nous faut éviter que chacun ait à subir les conséquences des choix des autres, d'où découle, simple et vaste, la question : « Comment vivre ensemble ? », à laquelle on trouve la réponse, toute aussi simple et vaste, dans l'impératif catégorique d'Emmanuel Kant, introduisant la notion d'autrui : « Ne fais pas à autrui ce que tu ne voudrais pas qu'il te fasse. »

La notion de temps, aujourd'hui débouchant sur demain, est introduite par Hans Jonas, qui adopte lui aussi l'impératif catégorique : « Fais en sorte que ton action soit toujours compatible avec le maintien d'une vie authentiquement humaine sur terre. »

Ces deux références, altérité et temporalité, tiennent une place importante dans les choix que chacun fait, ce qui nous amène tout naturellement à la notion de responsabilité. L'un est responsable de l'autre, chacun est responsable des autres, nous sommes tous responsables de l'avenir.

« Dans ces conditions, c'est-à-dire devant le vide éthique face au caractère inédit du pouvoir que l'homme a acquis par la science et la technique, l'élaboration d'un nouveau concept de responsabilité s'impose » (René Simon, *Éthique de la responsabilité*, Cerf, 1993).

4

L'EXERCICE DES RESPONSABILITÉS

Aussi loin que l'on remonte dans le temps et l'histoire, l'exercice des responsabilités a toujours été la conséquence d'un jeu subtil, variant selon les époques, au sein d'un couple que je serais tenté de qualifier de diabolique, entre savoir et pouvoir.

À certaines époques, le pouvoir – celui des dirigeants, des politiques, des financiers comme celui de l'Église – s'affirme et n'hésite pas à s'opposer au savoir lorsque celui-ci le gêne. Ainsi le pouvoir religieux s'oppose-t-il à Copernic, qui avance que la Terre tourne sur elle-même et autour du Soleil, alors qu'il est écrit dans la Bible « La Terre se tient immobile ». Le pouvoir religieux s'opposera plus violemment encore à Galilée, lequel s'entête cependant *mezzo vocce* : « Et pourtant, elle tourne. » C'est la fin du géocentrisme, je dirais même de l'anthropocentrisme.

Mais comment admettre que l'homme, créature de Dieu, n'est pas au centre de l'univers ? Tout le monde ne semble pas avoir accepté la mesure de ce qu'impliquent les théories de Copernic, Galilée et plus tard Darwin. Le créationnisme est toujours présent, ou sous-jacent. On vient de le voir aux États-Unis où, dans certains États, les créationnistes ont réussi à discréditer la théorie de l'évolution. Reléguée, devenue une parmi d'autres, elle n'est plus enseignée qu'en option.

Le pouvoir s'opposera également à Descartes, à Buffon lorsqu'il posera les principes de l'évolution de l'espèce humaine, à Darwin lorsqu'il exposera sa théorie sur l'origine des espèces et l'évolution des êtres vivants. En 1910, le pape Pie X condamnera « le Sillon », mouvement chrétien créé par Marc Sangnier, pour la simple raison qu'il militait pour un christianisme social !

Le pouvoir redoute le savoir, c'est pourquoi les pouvoirs en place, et plus particulièrement l'Église, se sont toujours opposés à toute idée de modernité. Mais il arrive également qu'avec habileté, le pouvoir utilise le savoir pour se conforter.

Hitler n'a pas hésité à avancer l'eugénisme et la prétendue génétique d'alors pour justifier les camps de concentration.

En URSS, le pouvoir politique n'a pas hésité à utiliser les arguments de la psychiatrie pour justifier les goulags, le travail forcé et la mort qui s'ensuivait bientôt. La norme de pensée et d'action étant fixée, tous ceux qui s'en écartaient relevaient donc de la pathologie ! Pour avoir osé dénoncer le stalinisme et les atteintes aux droits de l'homme, l'écrivain Alexandre Soljenitsyne y séjournera huit ans, de 1945 à 1953, avant d'être déchu de la citoyenneté soviétique et expulsé de son pays. Il sera l'un des rares survivants à pouvoir témoigner des raisons pour lesquelles on les avait jetés derrière les barbelés, lui et les opposants au régime, ainsi que de la façon dont ils étaient traités. Le pouvoir s'était servi du savoir comme alibi, renversement des forces, Soljenitsyne opposera son savoir au pouvoir, ce qui lui vaudra la célébrité dans le monde entier et le prix Nobel en 1970. La publication de L'*Archipel du goulag*, paru en Occident entre 1973 et 1976, ne fut cependant autorisée en URSS qu'après 1989.

Savoir contre pouvoir

De tout temps, le savoir s'est opposé au pouvoir. Socrate, le premier, n'hésita pas à dénoncer les agissements de la République d'Athènes, ce pour quoi elle le condamna à mort ! Prônant la liberté de l'homme face à l'Église et à l'État, Spinoza le premier osa parler de séparation, ce qui lui valut d'être persécuté.

Je pourrais citer bien des périodes où le savoir s'oppose au pouvoir avec d'autant plus de facilité que ce dernier, devenu déliquescent, ne sait plus quelles valeurs avancer pour se justifier. Cela se vérifie aujourd'hui tandis que, au-delà des joutes politiciennes de façade, on perçoit une espèce de flottement idéologique, une politique sans grande conviction qui conduit à un *modus vivendi* sans heurts ni prises de position fermes, d'où une cohabitation qui se fait sinon en harmonie, du moins sans éclats, ce dont personne ne se plaint vraiment ! Dans ces situations, le savoir gagne peu à peu possession du terrain, au point de s'imposer habilement comme le tuteur du pouvoir.

Quand le pouvoir veut aujourd'hui prendre une décision politique, il est assez intéressant d'observer la manière dont il s'en remet aux experts. C'est la république des experts !

Nous en avons eu une démonstration pour le moins exemplaire lorsque, en juin 1992, des représentants de tous les pays du monde, plus de cent chefs d'État ainsi que des centaines d'ONG (organisations non gouvernementales) se sont donné rendez-vous à Rio de Janeiro, à l'occasion de la deuxième Conférence mondiale sur l'environnement et le développement. Autrement dit le « Sommet de Rio », organisé par l'ONU, où tout ce beau monde devait débattre de la sauvegarde de la planète : développement durable, protection des ressources, préservation de l'environnement...

Ce qui a suscité un appel paru dans *Le Monde* du 3 juin 1992, sous le titre « L'appel de Heidelberg » dans lequel, en termes clairs, des scientifiques et des intellectuels prenaient les gouvernants à partie :

> Nous, soussignés membres de la communauté scientifique et intellectuelle internationale, partageons les objectifs du Sommet de la Terre qui se tiendra à Rio de Janeiro sous les auspices des Nations unies et adhérons aux principes de la présente déclaration.

Nous exprimons la volonté de contribuer pleinement à la préservation de notre héritage commun, la Terre. Toutefois, nous nous inquiétons d'assister, à l'aube du XXIᵉ siècle, à l'émergence d'une idéologie rationnelle qui s'oppose au progrès scientifique et industriel et nuit au développement économique et social.

Nous affirmons que l'état de nature, parfois idéalisé par des mouvements qui ont tendance à se référer au passé, n'existe pas, n'a probablement jamais existé depuis l'apparition de l'homme dans la biosphère, dans la mesure où l'humanité a toujours progressé en mettant la nature à son service, et non l'inverse.

Nous adhérons totalement aux objectifs d'une écologie scientifique axée sur la prise en compte, le contrôle et la préservation des ressources naturelles. Toutefois, nous demandons formellement par le présent appel que cette prise en compte, ce contrôle et cette préservation soient fondés sur des critères scientifiques et non sur des préjugés irrationnels.

Nous soulignons que nombre d'activités humaines essentielles nécessitent la manipulation de substances dangereuses ou s'exercent à proximité de ces substances, et que le progrès et le développement reposent depuis toujours sur une maîtrise grandissante de ces éléments hostiles, pour le bien de l'humanité. Nous considérons par conséquent que l'écologie scientifique n'est rien d'autre que le prolongement de ce progrès constant vers des conditions de vie meilleures pour les générations futures.

Notre intention est d'affirmer la responsabilité et les devoirs de la science envers la société dans son ensemble.

Cependant, nous mettons en garde les autorités responsables du destin de notre planète contre toute décision qui s'appuierait sur des arguments pseudo-scientifiques ou sur des données fausses ou inappropriées.

Nous attirons l'attention de tous sur l'absolue nécessité d'aider les pays pauvres à atteindre un niveau de développement durable et en harmonie avec celui du reste de la planète, de les protéger contre les nuisances provenant des nations développées et d'éviter de les enfermer dans un réseau d'obligations irréalistes qui compromettrait à la fois leur indépendance et leur dignité.

Les plus grands maux qui menacent notre planète sont l'ignorance et l'oppression et non pas la science, la technologie et l'industrie dont les instruments, dans la mesure où ils ont été gérés de façon adéquate, sont les outils indispensables qui permettront à l'humanité de venir à bout, par elle-même et pour elle-même, de fléaux tels que la surpopulation, la faim et les pandémies.

Très peu de temps après, on pouvait lire les « réponses à l'appel d'Heidelberg » signées par d'autres scientifiques, qui rappelaient « qu'une des règles essentielles de la déontologie scientifique est la diffusion des connaissances et leur libre accès par tous », soulignant aussi que « la recherche scientifique, sur des sujets aussi complexes que ceux relatifs à l'environnement doit éviter tout dogmatisme et se garder d'énoncer des certitudes lorsque les faits ne sont pas étayés de manière indiscutable ». Ils refusaient « [...] autant l'irrationalité écologique qu'ils condamnent que l'intégrisme scientifique qu'ils proposent », pour affirmer « [...] au contraire, la nécessité de prendre pleinement en compte l'ensemble des critères culturels, éthiques, scientifiques et esthétiques pour s'engager solidairement dans la voie d'un développement équitable et durable ». Tandis que des « écologistes » scientifiques, eux, s'inquiétaient d'assister, « [...] à l'aube du XXIe siècle, au maintien d'une idéologie irrationnelle née de l'ère industrielle opposant science et écologie, nuisant au progrès scientifique et à une gestion harmonieuse des ressources naturelles [...] ». Ils affirmaient que « [...] l'état de nature existe bel et bien, malgré la présence de l'homme et de ses industries ; l'homme qui respire, qui boit, qui mange (sauf dans certains pays dont l'environnement a été ravagé par une mauvaise gestion des milieux naturels), est lui-même un produit de la nature dont il fait partie intégrante [...] » À leurs yeux, « [...] les plus grands maux qui menacent notre planète sont l'ignorance et l'oppression [...] une science mal connue, une technologie mal maîtrisée et une industrie principalement orientée vers des résultats à court terme et non suffisamment soucieuse de l'équilibre naturel et culturel des populations... ». Puis ils concluaient en regrettant « [...] qu'on fasse très rarement appel aux spécialistes des sciences de nature lorsqu'il s'agit de prendre des décisions capitales sur l'avenir de l'environnement et de l'humanité, et qu'une minorité de scientifiques, toujours les mêmes, croyant détenir tout le savoir, s'arrogent le pouvoir ».

La seule science ne peut donner des règles de vie, puisqu'elle est en contradiction avec elle-même. De son côté, la politique n'assume pas, ne fait pas face à ses engagements, ce dont on se doutait déjà à entendre ses discours, qui ne sont pas des discours politiques musclés et étayés auxquels le citoyen ne trouverait rien à redire, mais des textes argumentés de façon à être dénués de toute prise de position et de responsabilités.

Les politiques aujourd'hui justifient mollement leurs décisions, non sans s'abriter derrière la science ou les statistiques. « Il est scientifiquement prouvé... », « Il est statistiquement démontré... » est la meilleure parade aux questions embarrassantes qu'on pourrait leur poser. On a même vu, au moment où il estimait nécessaire de redorer son blason, un certain président de la République réunir des prix Nobel scientifiques plutôt que des penseurs et des hommes politiques. Nous traversons une période pour le moins étonnante !

Troisième force, le vouloir

Aussi, quoi de plus normal qu'un nouveau partenaire vienne tournoyer autour du couple pourvoir-savoir, jusqu'à y faire sa place. Je veux parler de l'opinion publique, confortée par les médias. Ensemble, ils constituent cette troisième force que j'appellerai le « vouloir ».

Personne ne s'y attendait, personne ne l'avait vu venir, cette opinion publique généralement discrète, sauf en période de crise, de grève ou de révolution, qui avait depuis toujours l'habitude d'entendre tout ce qu'on voulait bien lui dire sans jamais poser de question. Voilà qu'aujourd'hui l'opinion publique veut qu'on l'informe avec d'autant plus d'intérêt que les médias lui ont déjà glissé quelques vérités jusqu'à présent réservées aux dirigeants. Elle pose des questions auxquelles elle veut des réponses, de vraies réponses, c'en est fini de la langue de bois, le politicien doit parler en clair.

Ayant pris conscience que l'homme habite un monde

fini, un monde qui a des limites et qu'il ne faut donc pas gaspiller, l'opinion publique a des exigences. Elle les impose avec d'autant plus de fermeté que des crises graves ont violemment agité les dix années qui viennent de s'écouler. Sang contaminé, sida, hépatite C, hormone de croissance, maladie de Creuztfeldt-Jakob, prion, vache folle, dioxine, amiante, OGM, ont sonné comme autant d'alarmes à un rythme terrifiant. L'opinion publique est alertée, le citoyen sur le qui-vive estime le couple pouvoir-savoir en pleine dérive. On sent germer un besoin de s'exprimer, une revendication citoyenne de prendre part au débat qu'il ne faut pas sous-estimer, car elle sous-tend une véritable crise de la démocratie.

Ils représentaient l'opinion du monde entier, les 50 000 contestataires qui, en défilant dans les rues de Seattle, provoquèrent l'échec de l'ouverture du cycle du millénaire, fin 1999. En s'opposant de la sorte aux diktats des pays souverains, à la conférence sur l'Organisation mondiale du commerce, certains représentants de l'opinion publique ont fait la démonstration de ce qu'elle entendait écrire l'Histoire, et non se la laisser imposer.

Que ces représentants aient été l'expression d'une minorité ou d'une majorité, qu'ils aient eu tort ou raison, leur mouvement traduit une profonde crise de confiance entre le pouvoir politique et l'opinion publique et, de toute façon, un gigantesque malentendu.

L'OMC avait pour but d'édicter des règles destinées à protéger les plus faibles face à un libre-échangisme au service des plus forts. C'est l'inverse qui a été perçu, probablement par peur de la domination des États-Unis.

Jusqu'à présent, nous avons vécu sur le modèle de la démocratie représentative. Chaque électeur donnait sa voix à un élu dont il attendait qu'il le représente, jusqu'à la fin de son mandat. Ce schéma n'est plus valable. Le citoyen continue de donner sa voix, mais entend aussi donner de la voix et ne plus assister passif aux prises de décisions qui le concernent.

Je tirerai quelques autres enseignements des élections européennes en mai 1999. Pendant la campagne, la droite s'est battue contre la gauche, la gauche s'est battue contre la droite, rien que de très banal. Là où il y a eu du nouveau, donc un certain succès, c'est au niveau des listes qui se sont battues non plus « contre », mais « pour ». Daniel Cohn-Bendit s'est battu à sa manière pour une vision écologique, la préservation de l'environnement, le respect de la nature. François Bayrou s'est engagé pour un modèle européen, fédéraliste. La liste Chasse, pêche, nature et tradition, dont on ne peut pas dire que ce soit là une ligne politique rigoureuse, s'est battue pour le respect des traditions dans une vision de la ruralité maintenue.

En donnant leurs voix à ces listes, les électeurs ont fait la démonstration qu'ils avaient des choses à dire, ils ont saisi l'occasion de s'exprimer sur des sujets bien précis. Estimant qu'on ne leur donne que trop rarement l'occasion de le faire, ils entendent dire le fond de leur pensée comme partager les responsabilités. Ainsi, du fait de l'irruption de l'opinion publique, nous glissons vers une démocratie d'opinion, ce qui explique les revendications populistes dont elle est l'essence. Quand il n'y a plus de guide reconnu, le peuple prend des initiatives, certains mouvements extrêmes font qu'on en arrive presque à évoquer l'idée d'un gouvernement du peuple par le peuple.

Le progrès fait peur

Le citoyen exprime un doute vis-à-vis du progrès, dont il n'est pas certain qu'il soit toujours bien maîtrisé et appliqué. Ce n'est pas nouveau, le progrès fait peur. L'Église s'en est toujours méfiée et l'a souvent combattu. Mais elle n'est pas la seule ! Il est intéressant de rappeler qu'il n'y a pas si longtemps, au XIXᵉ siècle, le romantisme est apparu comme un mouvement antiprogrès en s'interposant en contrepoint, comme une sorte de manifestation antimodernité, après le rationalisme et la lucidité du « siècle des Lumières ».

Parce qu'il a des doutes, des craintes, le citoyen se veut

partie prenante dans l'exercice des responsabilités. Sa position est très claire : « Je vous ai élu pour me représenter, mais ma responsabilité ne se limite pas à vous élire, je veux aussi être consulté. » Qu'une majorité écrasante et absolue ait donné le pouvoir à un bord n'empêche nullement des mouvements de rue. On l'a vu de plus en plus souvent ces dernières années, au grand dam des élus qui avaient pris l'habitude que leurs électeurs les laissent gouverner à leur guise et ne manifestent leur mécontentement que lors des élections suivantes, s'il y avait lieu. Le rappel à la réalité vient parfois après quelques mois ! Le citoyen s'est émancipé, au politique d'en tenir compte.

Au regard des nouvelles connaissances qui, en s'imposant, peuvent changer radicalement le paysage quotidien, cette notion de responsabilité doit être toujours présente à l'esprit des hommes politiques. L'économiste et sociologue allemand Max Weber a été l'un des premiers à l'analyser.

Weber distingue deux formes d'éthique dans la prise de décision de l'homme politique. D'une part, l'éthique de conviction, qui est la poursuite inconditionnelle d'une fin, elle-même inconditionnelle, justifiant donc tous les moyens mis en œuvre. D'autre part, l'éthique de responsabilité qui, à l'opposé de la précédente, tient compte des moyens, des coûts comme des conséquences et refuse de les asservir à la poursuite inconditionnelle d'une fin, si haute soit-elle. L'homme politique fidèle à ses convictions qui se fondent dans l'absolu leur sacrifiera ses responsabilités à l'égard des hommes et des choses. Il vise à un impératif inconditionné, qu'importe que « périsse le monde pour que soit la justice ». L'homme politique fidèle à ses responsabilités, lui, sacrifiera ses convictions à la nécessité d'une action qui n'est jamais que relative, se contentant d'un impératif conditionné, qui est celui de la prudence et de la modération politique. L'un est adossé aux nécessités de l'éternel, l'autre suit les méandres contingents du temps et de l'histoire.

Cette typologie classique, sociologique et non philosophique, sert de fil conducteur pour approcher rationnelle-

73

ment les technologies médicales ou scientifiques jusqu'au génie génétique dont les avancées sont telles qu'elles concrétisent le fait que nous changeons de civilisation.

Ces deux notions, éthique de conviction et éthique de responsabilité, s'opposent parfois à travers un acte médical jugé banal parce que courant, car il concerne chacun de nous, à tous les âges de la vie. Du bébé qui vient de naître au vieillard fragilisé par les ans et, entre les deux, le citoyen lambda sur la tête duquel on fait planer les menaces d'une maladie grave ou d'une épidémie lorsque, tout joyeux, il part en vacances aux antipodes... Je veux parler de la vaccination, qui déclenche régulièrement des levées de bouclier.

Vaccination, vie ou mort ?

Tout le monde a oublié Edward Jenner, médecin anglais qui fit le rapprochement entre la vaccine et la variole et inocula le liquide prélevé dans les pustules des pis de vaches atteintes de la vaccine, pratiquant ainsi la première vaccination. C'était en 1796. Il fallut attendre 1885 pour que Pasteur mette au point une théorie de la vaccination aujourd'hui devenue courante ; certains vaccins sont même obligatoires.

« De quoi l'État se mêle-t-il ? » s'opposent ses détracteurs. Médecin et politique, je suis tout particulièrement concerné par le sujet, et il me semble important d'apporter à la question une réponse qui fait cohabiter éthique de conviction et éthique de responsabilité.

À la question : « Est-il bien utile de vacciner un bébé et, ce faisant, injecter des poisons dans ce petit corps ? » que se posent toutes les mères, et c'est normal, je réponds oui, sans hésiter. Il ne peut y avoir deux écoles, mais la question qui se pose au regard des vaccinations est double.

Prenons pour exemple une maladie qui survient avec la fréquence de 1 pour 100 000 (à titre individuel, une personne sur 100 000 sera touchée). Et chacun, à titre individuel, pense : « Je ne vais pas me faire vacciner car le risque est négligeable. » Cela se comprend, car toute vaccination peut comporter un risque. Ça, c'est le raisonnement individuel.

Raisonnons maintenant en termes de population, en termes de santé publique. Quand on sait qu'il y a 760 000 naissances par an en France, « 1 pour 100 000 », cela signifie huit cas. Sur une tranche de vie normale de quatre-vingts ans, dans la population, 640 personnes sont potentiellement impliquées.

Ce qu'illustre parfaitement le vaccin contre l'hépatite B chez les sujets d'âge scolaire. Il a été démontré que, sur 10 000 à 20 000 vaccinés, un cas de sclérose en plaques pouvait éventuellement être rapporté à la vaccination antihépatite B. Le ministre de la Santé s'est posé la question de savoir s'il était bien utile de maintenir la politique de vaccination obligatoire. J'imagine son raisonnement : « En vaccinant chaque année 800 000 enfants, on risque, un jour ou l'autre, de provoquer un cas de sclérose en plaque. J'annule et j'arrête la vaccination obligatoire. »

D'autres spécialistes de santé publique se sont élevés à leur tour : « Vous décidez d'arrêter la vaccination au motif d'un petit risque de complication. Mais que va-t-il se passer si, dans dix, vingt ans, peut-être avant, des gens qui auraient dû être vaccinés dans le cadre d'une vaccination collective ont une hépatite B, dont ils peuvent éventuellement mourir ? Ils vous demanderont alors : "Pour quelles raisons avez-vous arrêté ?" »

Au début des années 60 sévissait encore une maladie pratiquement disparue aujourd'hui dans les pays industrialisés. Due à un virus, la poliomyélite paralysait et entraînait bien souvent la mort. Aux États-Unis, une épidémie fit des milliers de paralysés et des centaines de morts. Les autorités sanitaires regardaient, désarmées.

Du fond de son laboratoire, un scientifique dit que le vaccin sur lequel il travaillait était au point mais, parce qu'il n'avait pas été essayé, il ne pouvait garantir sa réelle efficacité, ni l'absence de complications. Sommet politique, sommet scientifique, sommet médical... La décision est prise de tirer au sort 200 000 personnes, de les vacciner et, au bout d'un an, de les comparer à 200 000 personnes également tirées au sort mais non vaccinées, afin de confronter les résultats. On constata que, parmi les vaccinés, il n'y avait aucun cas de poliomyélite et aucune complication, tandis que, parmi les 200 000 personnes non vaccinées, outre de nombreux morts, il y avait de nombreux infirmes à vie. La décision fut alors prise de vacciner l'ensemble de la population.

Quand on fait la balance des risques, on s'aperçoit qu'il faut vacciner tout le monde, même si le vaccin n'est pas fiable à 100 p. 100. J'ai vécu la période de la vaccination antivariolique dont tout le monde savait que, 1 fois sur 1 000, environ elle entraînait un cas d'encéphalopathie. Mais, la variole étant une maladie très grave entraînant généralement la mort, on a maintenu la vaccination. Moyennant quoi il y a eu quelques encéphalopathies, mais la variole a été éradiquée du globe.

Intérêt général

On trouve, face à la vaccination, des positions totalement opposées selon que l'on considère le problème sous l'angle individuel ou sous l'angle collectif. Le médecin traitant qui, par définition, est dans le cadre d'une pratique individuelle, ne peut pas s'adapter spontanément aux exigences d'une médecine de santé publique, c'est-à-dire collective. C'est la raison pour laquelle l'État impose aux médecins de se conformer à une politique de santé définie sur des motifs de santé publique.

Par ailleurs, il est important de le souligner, les vaccinations n'ont réellement d'effet que si elles concernent une masse importante de la population, afin que la maladie ne puisse pas se propager si jamais un éventuel cas survenait chez un sujet non vacciné.

Prenons par exemple une population de 1 million de

personnes dans laquelle 1 sujet sur 1 000 seulement ne serait pas vacciné. Quand bien même un cas surviendrait, il resterait isolé et, se trouvant très vite confrontée à des culs-de-sac, la maladie disparaîtrait.

Les stratégies de santé publique sont toujours fondées sur le plus grand nombre, sur la notion de population, de grands ensembles. Parce qu'on est très attentif à ne pas mettre sur le marché un vaccin dont les inconvénients dépasseraient ses avantages, on apprécie les effets secondaires au niveau individuel par rapport aux résultats en termes de santé publique. Par définition, toute substance médicalement active a des effets secondaires. Soit les médicaments sont efficaces et présentent des complications potentielles, soit ils sont totalement inefficaces et ne présentent pas de complications, mais ils ne servent à rien ! En matière de vaccination comme dans les autres domaines, la vie est un choix. L'incertitude existe et elle est directement liée au processus décisionnel.

La responsabilité du médecin praticien l'engage face à la personne qui vient le consulter, il s'agit d'une médecine individuelle. Dans ce cas, il peut souligner les risques individuels, les complications potentielles, comparer les avantages et les inconvénients...

L'approche de santé publique est différente. Elle globalise les effets et en tire des conclusions pour une population dans son ensemble. Si, vis-à-vis de cette population, les avantages sont manifestes, on impose. Puisque chacun réclame des droits, chacun est obligé également de satisfaire un certain nombre de devoirs pour la santé globale et collective : il ne peut pas y avoir que des droits, il y a également des devoirs.

Le droit d'être en bonne santé implique le devoir de se faire vacciner. Non seulement on se protège, bien que prenant un petit risque, mais en même temps on protège les autres. On retrouve d'ailleurs cette même notion dans la campagne contre le sida : « Avec le préservatif, vous vous protégez vous-même, mais vous protégez également l'autre. »

Je ne peux m'empêcher de comparer cela à l'usage de

77

l'automobile que jamais personne n'a l'idée de remettre en cause alors que, chacun le sait, il y a chaque année 8 000 morts sur les routes, sans parler des dizaines de milliers de handicapés, d'estropiés, de blessés avec des séquelles à vie. Autrement dit, il y a là aussi un problème de responsabilité, de mesure de risques, d'appréciation entre avantages et inconvénients. Mais l'automobile est entrée dans les mœurs et personne ne remettra jamais en cause son usage.

Quand des militants contre la vaccination protestent : « On refuse de prendre ne serait-ce qu'un risque sur 10 000 », parlez-leur de l'automobile ou du tabac. Car le seul fait de fumer augmente le risque de cancer des voies aériennes dans des proportions très largement supérieures à celles de complications par les vaccins. Chacun choisit ses risques, et on peut toujours s'opposer à certains risques pour affirmer son identité : j'existe, donc je m'oppose... à la vaccination, à la ceinture de sécurité en voiture... Se poser en s'opposant, c'est toujours d'actualité.

J'ai vu de tout-petits victimes d'abominables quintes de coqueluche asphyxiante, j'ai vu mourir des enfants atteints d'encéphalite de la rougeole, j'ai vu des stérilités dues à des oreillons chez des hommes adultes... Il y a maintenant des vaccins qui, associés, protègent contre les oreillons, la rougeole, la coqueluche, ce que j'estime être un bienfait des dieux, quand bien même y aurait-il, ici ou là, quelques complications. À l'échelon de la population, c'est un progrès incontestable.

J'ai vu la tuberculose, autrefois redoutable, cesser de tuer et reculer après l'apparition du BCG. Il arrivait qu'il provoque des réactions un peu vives mais, globalement, le BCG associé à l'arrivée d'antibiotiques a été pratiqué à grande échelle, et la tuberculose est quasi vaincue. Certains prétendent que le vaccin donnait l'illusion qu'il était efficace parce que la maladie était en déclin spontané. Pas du tout ! On a relâché la garde sur le vaccin, et l'usage répandu des antibiotiques, parfois utilisés à tort et à travers, a provoqué une résistance du bacille. Résultat, on assiste à une renaissance de la tuberculose. C'est curieux, mais le fait que la maladie est allée déclinant tant qu'il y a eu le BCG et réapparaît quand on relâche la pratique du vaccin ne semble pas susciter la plus petite interrogation parmi ceux qui sont par principe opposés à la prévention !

Pour en revenir à la vaccination contre la variole et aux complications qui peuvent s'ensuivre, on ne s'est pas posé tant de questions. Aujourd'hui, la maladie est éradiquée, il n'y a plus de variole et on a même pensé à détruire les souches. On a cependant décidé de les garder quelques années supplémentaires. Il faut toujours être prudent, ne jamais crier victoire, car il existe un équilibre naturel sur la planète ; ce qu'on gagne d'un côté, on le perd de l'autre, on éradique une maladie, on a l'émergence de maladies nouvelles... Il y a des progrès que l'on ne peut contester, on vit de plus en plus vieux, ce qui ne manque pas de faire apparaître de nouveaux maux, de nouvelles maladies. On ne connaissait pas la maladie d'Alzheimer quand on mourait à trente-cinq ou cinquante ans. Le cancer est aussi en grande partie une maladie liée à l'âge.

Pour une vaccination à grande échelle

Médecin, je suis absolument convaincu qu'il doit y avoir des politiques de santé publique, y compris de vaccinations à grande échelle. Chaque individu doit avoir conscience de sa part de responsabilité, de solidarité de santé publique. Il n'en reste pas moins, s'il le désire, libre d'opposer son refus individuel à certaines vaccinations. Mais cela ne peut se faire que s'il connaît ses responsabilités et les assume.

On vit de plus en plus mal l'idée du traitement obligatoire, comme on le pratiquait souvent autrefois. Quand on jette un regard en arrière, il y a seulement cinquante ans, les sociétés qui étaient confrontées aux mêmes problématiques ne se posaient pas toutes nos questions. On pourchassait la syphilis et, lorsque le syphilitique ne se faisait pas soigner de son plein gré, on allait le chercher chez lui, on l'amenait à l'hôpital entre deux gendarmes, où on lui imposait un traitement afin de le « blanchir ». Et, parce qu'on considérait qu'il était du devoir de la société de faire en sorte qu'il ne puisse pas promener son tréponème de femme en femme ou d'homme en homme, on ne le relâchait qu'une fois « blanchi ». On pratiquait donc une sorte de coercition à son endroit.

Nous sommes à la civilisation des libertés individuelles et je ne saurais que m'en réjouir, mais cela contraint à se poser bien des questions. Ainsi, sur le sida, devrait-on imposer un traitement obligatoire ou pas ? Devrait-on en parler au partenaire – il est tout de même menacé de maladie mortelle – ou pas ?

La notion d'obligation tend à disparaître, mais nous y perdons en termes de santé publique, cela vaut peut-être la peine de s'y arrêter.

5

LA SCIENCE ET L'OPINION

L'homme est un être profondément angoissé par la
mort, et ses préoccupations essentielles concernent
l'intégrité de l'être humain, sa santé et aussi son environnement.

L'intégrité de l'être humain... Qu'entend-on par là, au
moment où on découvre chaque jour de nouveaux gènes ?
Où on en utilise déjà certains de façon fort habile et utile,
avec d'autant plus de facilité que sous le couvert du mot
thérapie, sorte de sésame magique, personne n'y trouve
jamais rien à redire ?

Une nouvelle forme d'industrie

On a commencé, il y a maintenant une quinzaine d'années, à introduire le gène de l'insuline humaine dans des
colibacilles, pour faire en sorte que ces colibacilles produisent la protéine humaine « insuline » destinée à traiter
les diabétiques, on a introduit le gène de croissance dans
des colibacilles pour faire en sorte qu'ils produisent la
protéine humaine « hormone de croissance » nécessaire
pour lutter contre le nanisme, on a fait la même chose
pour l'interféron et bien d'autres gènes, et il n'y a jamais
eu une critique réelle. On a même salué l'apparition d'une
nouvelle forme d'industrie pharmaceutique, et l'opinion
publique a approuvé. C'était préférable que d'aller récupérer, dans les morgues des hôpitaux, les hypophyses sur

les cadavres, de les broyer, de les pressurer pour en extraire l'hormone de croissance avant de les injecter à des malades sélectionnés sur dossiers pour gérer la pénurie. D'autant que ces pratiques peuvent aboutir à de véritables drames, ainsi qu'on l'a vu, à la fin des années 80, avec l'apparition de cas de la maladie de Kreutzfeld-Jacob. Donc, dès qu'il s'agit de traiter par la thérapie génique *in vitro*, l'opinion publique se rallie à la science.

J'observe d'ailleurs à propos de l'érythropoïétine, l'EPO, produit fabriqué par la biotechnologie dont on a beaucoup parlé dans le monde du cyclisme, que ce n'est pas sa production par la biotechnologie qui l'a mise sur la sellette... si j'ose dire. C'est le fait que cette substance a été détournée de son utilisation médicale à des fins de dopage. Voici donc, preuve supplémentaire s'il en était besoin, que c'est l'utilisation que l'on peut faire d'une recherche qui est perverse. Il est difficile d'échapper à cette évidence, mais cela conforte le fait que, on l'a vu, dès qu'apparaît le mot « thérapie », personne ne s'oppose.

On a créé des espèces végétales transgéniques, des plants de tabac qui possèdent le gène de l'hémoglobine, et tout le monde trouve assez extraordinaire de faire fabriquer de l'hémoglobine par des plants de tabac ! On a aujourd'hui des plantes génétiquement modifiées de sorte qu'elles ont des effets vaccinants. Il suffit d'imaginer les avantages que cela présente en termes de santé publique, lorsqu'il faut vacciner des populations entières. Plutôt que d'utiliser des doses de vaccins, des ampoules, des seringues, des compresses, des antiseptiques, on donne à manger aux populations quelques feuilles de la plante à effet vaccinal ! Une certaine banane vaccinerait efficacement contre le choléra. Et pas seulement les singes !

Des animaux transgéniques ont également été créés à des fins thérapeutiques. On les appelle même, avec humour et réalisme, pharmacies sur pattes. Imaginons une vache transgénique qui possède le gène de l'albumine humaine, elle va donc en produire, ce qui signifie qu'il y a, dans le lait de ladite vache, de l'albumine en grande quantité, avec un véritable effet bénéfique sur la conduite de certains traitements...

Ainsi, des vaches produisent dans leur lait différentes protéines humaines, par exemple le facteur 8 de la coagulation permettant de soigner l'hémophilie. Tout récemment, on a créé une chèvre transgénique dont le lait est riche en thrombine 3, protéine importante pour la coagulation. Contre tout cela, personne ne s'élève. On a même vu apparaître un nouveau concept associant les notions d'aliments et de médicaments sous la forme d'« alicaments ». C'est dire que l'enjeu de la santé entraîne l'adhésion de l'opinion publique.

Les OGM

Les OGM, organismes génétiquement modifiés, en revanche, sont loin d'emporter l'adhésion des consommateurs. Il ne faut pas s'en étonner. L'homme, qui après tout appartient au monde du vivant, se comporte très exactement selon les principes simples de l'éthologie exposés par Konrad Lorenz et réagit quand le cercle au-delà duquel il se sent menacé est franchi. Nous y sommes. Nul ne peut ignorer les scandales qui touchent tous les domaines de l'alimentation. Poulet à la dioxine, vache folle, plantes mutantes sont au menu...

Quand bien même les OGM ne seraient pas dangereux, ils inquiètent. La science est soupçonnée, le politique a perdu toute crédibilité, l'opinion publique pose des questions, à commencer celle de la hiérarchie des enjeux.

Nourrir ou rentabiliser ?

Est-ce que des motifs nobles sont à l'origine de ces recherches et de leurs applications ? Sont-elles faites pour répondre aux besoins alimentaires des 900 millions d'êtres humains qui souffrent de malnutrition sur Terre aujourd'hui ? Aux besoins alimentaires des quelques mil-

83

liards qui, selon les projections, peupleront la planète en 2025 ? Nourrir les gens est un motif noble, on pourrait alors comprendre ce qui n'est pas forcément acceptable.

Est-ce qu'il s'agit de motifs subsidiaires ? Cherche-t-on à améliorer la qualité gustative ou la qualité alimentaire de ces végétaux ? Est-il indispensable d'introduire dans les pommes de terre un gène qui les rendent plus faciles à frire ? Est-il bien utile d'envisager de faire des tomates carrées parce qu'elles seraient plus faciles à empiler dans des cageots ?

L'imagination semble sans bornes et l'on s'interroge sur certaines initiatives. Au prétexte qu'il y a dans l'Arctique des poissons qui résistent à une température inférieure à moins 10 degrés, le gène responsable de leur résistance au froid a bien vite été isolé et introduit... dans les fraises. On peut donc cultiver des fraises par moins 10 degrés. Il paraîtrait même qu'elles n'ont pas le goût de poisson !

Motifs nobles ou subsidiaires, ne sont-ils pas surtout terre à terre, c'est-à-dire économiques ? Ren-ta-bi-li-ser n'est-il pas le mot d'ordre ? Voilà pour ce qui est de la hiérarchie des enjeux.

Appréciation des méthodes

Les citoyens veulent apprécier les méthodes. On leur dit mettre dans le maïs transgénique un gène antibiorésistant à la pénicilline parce que cela permet de séparer facilement le maïs transgénique de celui qui ne l'est pas. Mais est-il vraiment nécessaire de doter le maïs d'un gène antibiorésistant quand justement la résistance aux antibiotiques est devenue un problème majeur en santé publique ? que les infections nosocomiales se multiplient dans les hôpitaux ? « Est-ce intelligent ? » questionne le simple bon sens du citoyen lambda.

On nous dit introduire dans le maïs transgénique une toxine bactérienne supposée tuer la pyrale, chenille prédatrice du maïs. Mais cette toxine bactérienne occasionne des carnages parmi une espèce de papillons, le monarque, qui butine les fleurs du maïs transgénique empoisonné.

La méfiance que suscitent les plantes transgéniques ne cesse de s'accentuer en Europe, et maintenant aux États-Unis. L'association des médecins britanniques – soit 115 000 praticiens – a demandé l'arrêt de leur culture tant que de nouvelles études n'auront pas été menées sur la toxicité des OGM. On a, avec l'expérience, acquis la preuve que les pyrales s'adaptent et, contrairement à toutes les prévisions, cette résistance acquise à la toxine bactérienne relève d'un caractère génétique dominant. C'est dire que la résistance des pyrales à la toxine bactérienne commence à apparaître et que toutes les recommandations de l'Agence américaine de protection environnementale sont caduques.

L'agence américaine préconisait, les gènes de résistance étant récessifs, de planter en alternance une surface de maïs transgénique, une surface de maïs sauvage, une surface de maïs transgénique, une surface de maïs sauvage... Afin, en cas de mélanges, que le gène récessif de la résistance ne puisse pas s'exprimer. En l'occurrence, c'est raté, la résistance peut apparaître comme un caractère dominant !

Il en va de même avec les plantations de coton : l'intérêt des plantes génétiquement modifiées est de produire naturellement, grâce à l'adjonction d'un gène, des toxines insecticides, préservant ainsi les récoltes de l'agression de certains insectes. Mais l'une des craintes de certains scientifiques est que ces insectes deviennent résistants à cette toxine et se multiplient dans les cultures génétiquement modifiées, dont les fonctions seraient alors totalement caduques. Une nouvelle étude expérimentale, publiée en août 1999 dans la revue *Nature*, montre que cette inquiétude n'est pas totalement infondée : « Des chercheurs de l'université de l'Arizona ont montré en laboratoire que les larves de papillon, résistant aux organismes génétiquement modifiés, auraient une aptitude théorique à se multiplier dans les cultures de coton transgénique. »

Seule solution, une fuite en avant qui consisterait à introduire une nouvelle toxine chaque année. Mais estelle simplement envisageable ?

Évaluation des conséquences

L'opinion publique, à juste titre, veut être informée avec toujours plus de précisions. Quels sont les risques que présentent les OGM pour l'environnement lors de la culture ? Au regard des flux de gènes entre végétaux différents ? Introduire un gène résistant à tel ou tel caractère peut être intéressant pour une culture donnée, mais il faut savoir qu'avec le vent, les pollens, les hybridations croisées, ce gène va contaminer des plantes sauvages proches, les modifier et, sans que personne ne le souhaite ni même s'en aperçoive, créer de nouvelles espèces insoupçonnées et imprévues !

Outre les risques liés à la culture, quels sont ceux liés à la consommation ? On l'a vu, cela crée une interrogation de simple bon sens concernant l'antibiorésistance : en mangeant ce maïs, le consommateur ne prend-il pas le risque de devenir antibiorésistant à son tour ?

La sécurité sanitaire

Toute question en entraîne une autre : quels sont les risques au regard des enjeux sociaux ? Au niveau sanitaire comme au niveau de l'acceptabilité sociale. Cela engendre, on le voit, un débat d'une extraordinaire âpreté.

Apparue récemment, la sécurité sanitaire est un concept dû à l'accumulation des crises de santé publique dues aux composants introduits dans les produits de santé, les produits alimentaires, etc., ainsi qu'aux polluants, qu'il s'agisse de pollution atmosphérique, de pollution des eaux par les nitrates, et autres... Toutes causes qui font désormais apparaître la sécurité sanitaire non seulement comme un droit du citoyen mais aussi comme un devoir de l'État, au même titre que la sécurité civile et la sécurité militaire. C'est aujourd'hui une exigence primordiale au regard du citoyen, l'État ne semble pas en avoir réellement saisi l'importance.

Le bon sens populaire utilise parfois des images simplistes, voire erronées. Au moment de la crise de la vache folle, lorsque le consommateur a appris que l'on nourrissait des vaches avec des farines animales, il a eu une formule qui a fait florès : « On a transformé les herbivores en carnivores. » Elle est frappée au coin du bon sens même si elle n'est pas tout à fait le reflet de la réalité, parce que la viande est transformée en particules chimiques élémentaires, ce n'est donc plus de la viande au sens propre. Mais intuitivement, l'opinion publique comprend que le risque n'est jamais nul et cherche à identifier les dangers pour s'en protéger. Nous voici dans une situation fort intéressante au regard de cette exigence nouvelle. Qui va garantir la sécurité sanitaire ? Sur quels arguments ? On pèse le pour, on pèse le contre. Mais, au-delà des données scientifiques et même des décisions politiques, s'impose alors un élément inconnu à prendre en considération, l'acceptabilité sociale qui repose essentiellement sur la liberté de choix, les conséquences économiques, les retombées sur l'emploi. Et aussi les solidarités nouvelles telles qu'elles sont appréciées par le corps social.

Les libertés individuelles

Cette acceptabilité sociale s'exprime en termes de libertés individuelles et de choix de société.

L'atteinte à la liberté est aujourd'hui de plus en plus inacceptable. Elle est jugée plus sévèrement encore que l'atteinte à la santé. C'est dire que la sécurité alimentaire met en jeu non seulement la notion de sécurité, mais davantage encore celle de liberté. Manger est un acte personnel qui relève de la liberté de chacun, il est donc normal que chacun réaffirme son droit de savoir pour choisir. Et refuser les organismes génétiquement modifiés, c'est d'abord refuser l'appropriation par autrui du contenu de son assiette. De là les exigences de transparence, de traçabilité : d'où ça vient ? D'étiquetage : qu'est-ce que ça contient ? Le consommateur veut savoir ce qu'il mange. Les semenciers et les producteurs d'OGM veulent préserver leurs propriétés et leurs secrets industriels. Il y a donc conflits d'intérêts, car pour détecter la présence d'un organisme transgénique dans un aliment par son ADN, il faut connaître sa composition génétique, secret de fabrication qui appartient aux firmes privées commercialisant les OGM ! C'est pourquoi la plupart refusent l'étiquetage des produits, ou l'accès aux méthodes de détection et la traçabilité.

Le consommateur s'insurge lorsqu'il réalise que moins de 1 p. 100 des modifications génétiques opérées le sont pour améliorer les qualités gastronomiques, alors que plus de 99 p. 100 le sont pour augmenter la productivité et le rendement. Certains pays, notamment la Grande-Bretagne, ainsi que des réseaux de grande distribution, ont parfaitement compris ce rejet et font désormais campagne sur le thème « nous éliminons tout ce qui est OGM ».

Les distributeurs britanniques, les premiers, sont entrés en dissidence en s'engageant à éliminer les OGM des produits correspondant à leur marque. La grande distribution française s'est, dès l'émergence de ce débat, prononcée pour un étiquetage des produits transgéniques. Il faut voir dans cette prise de position la défense ultime et désespérée de la dernière liberté qui est celle de manger ce que l'on veut.

Cette position exprime également un choix de société. Tout d'abord en termes économiques : « Quelles conséquences ces technologies ont-elles sur l'emploi ? Quel devenir sommes-nous en train de préparer pour notre agriculture ? Peut-on accepter, nec plus ultra de la technologie en matière d'OGM, la technologie du gène Terminator ? » (qui est tout simplement hallucinante).

Les grandes entreprises agroalimentaires ont isolé un gène qui stérilise les semences. Il s'agit d'abord de fabriquer un végétal transgénique intéressant au plan du rendement et de la production. Puis on lui ajoute un gène, le gène Terminator, qui a pour but de rendre les graines produites stériles. Elles ne peuvent donc être utilisées dans les semailles futures. En clair, cette technologie du « Terminator » empêche les agriculteurs d'exploiter leurs propres semences d'une année sur l'autre et les installe dans une situation de dépendance face à une dictature industrielle et commerciale. Terminator, le bien nommé !

Le développement des OGM pourrait ainsi donner à quelques entreprises un inquiétant pouvoir économique et financier sur le gigantesque marché de l'alimentation. Ainsi, pour créer une dépendance chez les paysans du tiers-monde, d'Afrique ou d'ailleurs, il suffit aux fabricants de leur vendre leurs semences ultraperformantes certes, mais stériles et protégées par le secret industriel.

Confisquer le savoir et l'avenir

À ce propos, il faut aborder également le problème de la brevetabilité des séquences géniques, avec la protection et le secret que cela suppose. Or, les séquences géniques appartiennent au patrimoine de l'humanité, et c'est la raison pour laquelle je conteste violemment le fait qu'elles puissent être brevetées par des équipes de recherche, notamment américaines, lesquelles confisqueraient le savoir et, ce faisant, l'avenir. Ce n'est pas tolérable ! On assiste à la domination de ceux qui ont l'argent et les techniques pour accroître encore les différences et créer des situations qui leur sont de plus en plus favorables. Loin d'aller vers un comblement des différences entre les États, entre les habitants de la planète, on va vers un creusement des écarts, ce qui ne me paraît ni normal, ni moral. Il faut être très vigilant, personne n'a le droit de s'approprier ainsi le patrimoine de l'humanité.

Il n'est pas toujours facile de distinguer la découverte de l'invention, laquelle est une création, un pur produit de l'imagination. La découverte, en revanche, suppose une observation minutieuse, une intuition qui constitue l'hypothèse, suivie d'une expérimentation bien conduite pour la démontrer ou, au contraire, la rejeter. Le patrimoine génétique, à mon avis, est bien une découverte, et non une invention. Il y a là un choix de société à faire vite, avant qu'il n'y ait trop de dérives comme celles que je viens de citer.

Économie et solidarité

Mais, dans un choix de société, même motivé par des impératifs économiques, on ne peut oublier que se pose également le problème de la solidarité. Quelles conséquences ce choix aura-t-il sur les rapports entre les pays du Nord et les pays du Sud ? Quelle place donnera-t-il aux pays en voie de développement qui ne sont pas solvables ?

Il y a, on le voit, un contraste frappant entre les discours qui tentent de justifier la concrétisation de ces techniques et la rareté des réalisations adéquates pour aller au bout de cette générosité et de cette solidarité. La réalité est loin de l'intention. Il y a comme un parfum d'alibi !

Dans le même temps, les produits industriels se développent et les pays en voie de développement stagnent, voire régressent. Plus on met au point ces techniques censées aider les plus faibles, les plus démunis, les plus sous-alimentés, plus le fossé se creuse, d'autant que, summum du summum, les biotechnologies permettent aujourd'hui de créer des produits de substitution à ceux que les pays en voie de développement étaient les seuls à produire jusqu'alors. Ainsi, l'huile palmiste qui est tirée du coco du palmier et qui représente pour ces pays une certaine richesse peut être, aujourd'hui, tirée du colza transgénique. Non seulement on ne les aide pas, mais on les freine en les privant de leurs ressources naturelles. Il y a donc derrière un discours de progrès, une réalité tout autre et des situations qui, de mon point de vue, heurtent le bon sens. Il ne faut pas s'étonner, en pareil cas, de réactions, fondées ou irrationnelles, d'une société désenchantée en quête d'un véritable sens.

2

AU CŒUR DU VIVANT

6

INTERDITS ET TRANSGRESSIONS

Quand l'homme n'a plus le temps, il semble qu'il perde la raison. Plus justement, il perd l'occasion de la mettre à l'épreuve. Et nous y sommes. Il faut retrouver le sens de la méditation comme celui de la rêverie...

Il m'est souvent arrivé d'être perturbé par un événement au point qu'il m'empêche de dormir. Et pourtant, quelques jours plus tard, en fin de semaine, tandis que j'étais occupé à remonter des murs de pierre dans ma campagne provençale, je me disais : « Tu as tort d'accorder autant d'importance à ce problème, prends du recul, donne aux choses leur juste place, leur juste valeur. » Ce qui m'a permis de m'investir avec d'autant plus d'énergie lorsque cela en valait la peine sans pour autant tomber dans le désintérêt, ce manque d'enthousiasme qui semble le mot de passe d'une génération.

Entre investissement et désintérêt se trouve ce juste équilibre que l'homme ne peut atteindre qu'en cultivant sa vocation de découvreur, ce qu'il est par définition. Il peut alors ouvrir les portes, regarder derrière les paravents, rechercher ce qu'il ne connaît pas et commencer à s'interroger pour savoir quelle signification, quelle valeur, quelle place accorder à ses découvertes. Ceci posé, il doit se demander : « Comment vais-je utiliser ce que je viens de découvrir ? » Il entre alors dans le domaine de l'invention, avec tout ce que cela comporte d'excitant. De dangereux, aussi, s'il joue les apprentis-sorciers. On dit d'Einstein qu'il a souvent déploré l'utilisation faite de ses découvertes et inventions. « Si j'avais su... » Marie Curie et bien d'autres chercheurs ont exprimé les mêmes regrets.

Car ce qui est important, ce n'est pas la découverte elle-même, mais l'utilisation qui en est faite. Toute la sagesse de l'homme est alors en cause, aussi loin que l'on remonte dans son histoire. Et on peut remonter jusqu'à l'âge du fer. Je reprends le fameux exemple déjà cité par bien d'autres : avec le fer, on fabrique des objets tranchants, des couteaux avec lesquels couper sa viande ou poignarder son voisin. S'il est recommandé de couper sa viande, il est en revanche interdit de poignarder son voisin. On a alors compris le bon usage que l'on peut faire d'une invention, et celui qu'il ne faut pas en faire.

Dans l'intimité, au cours de conversations privées, les antinucléaires les plus vigoureux reconnaissent que si la Chine n'avait pas pris l'option du nucléaire, sa production d'énergie engendrerait une pollution telle que les dégâts dans l'environnement seraient considérables. Bien apprivoisé, bien domestiqué, bien maîtrisé, le nucléaire en tant que production d'énergie est une bonne chose. Et je ne parle pas des applications médicales et de leurs bienfaits !

Il faut toujours être très vigilant face à de nouvelles responsabilités. Je prendrai à nouveau l'automobile pour exemple. Que demain, on lise, en gros titres dans les journaux : « En France, une nouvelle découverte scientifique a entraîné 8 000 morts dans l'année », la réaction serait immédiate : « Arrêtez tout, vous êtes fous, 8 000 morts, rien ne peut justifier cela ! » Sur une carte de France, une ville serait rayée à titre symbolique, il y aurait des manifestations dans les rues. Or, malgré les 8 000 morts, malgré les dizaines de milliers de blessés, définitivement infirmes ou handicapés, le citoyen n'est pas prêt à renoncer à l'automobile. Pourquoi ? Tout simplement parce que c'est lui qui en a fixé les règles, qui a établi un code de la route à partir duquel il ne peut pas, en principe, y avoir d'accident. Par ailleurs, on estime que, comparés aux inconvénients, les avantages sont tels que ceux-là mêmes qui seraient descendus dans la rue examineraient la question avant de conclure sur un ton tranquille : « C'est vrai, il y a 8 000 morts chaque année du fait de l'automobile, mais si on n'avait pas inventé le moteur à explosion, il n'y aurait pas d'ambulance, pas d'hélicoptère, et tant d'autres dérivés qui permettent aujourd'hui de sauver bien des vies. Lorsque l'on compare et que l'on fait l'équilibre, il faut se dire que c'est la rançon à payer. » Nous voici dans une démarche de discernement : ce qui est bon, ce qui ne l'est pas. On oscille entre deux valeurs qui semblaient n'avoir plus cours : conscience et sagesse.

Je ne peux évoquer le mot sagesse sans que me vienne à l'esprit l'image de mon grand-père, Jean Mattei. Né en 1891, il est mort il n'y a pas bien longtemps, à cent trois ans. Élevé dans le petit village de Corscia au pied du Monte Cintu, au cœur de la Corse la plus sauvage du Niolo, il a vécu la vie de ces gamins qui partageaient leur temps entre la pêche à la truite, la garde des brebis, les randonnées secrètes et... l'école. C'était un bon élément, un gamin prometteur, et l'instituteur conseilla à son père : « Le petit Jean doit aller plus loin que le certificat d'études, il faudrait l'envoyer au petit séminaire à Bastia. » Il y avait de la famille à Bastia. Jean est donc allé au petit séminaire et plus tard à la Sorbonne à Paris, en payant ses études grâce à un poste de surveillant d'internat à Saint-Germain-en-Laye. Mais s'il a réussi, s'il a survécu plus tard à quatre ans d'enfer dans les tranchées de Verdun et dans les champs de l'Oise, c'est qu'il avait une force enviable acquise dès l'enfance, dans un de ces villages de montagnards où, autrefois, quand une question difficile se posait, l'opinion générale conseillait : « Il faut aller voir U Saviu d'Ascu ». Le sage d'Asco... un vieil homme réputé pour sa sagesse.

Mon grand-père menait la vie des garnements de l'époque, et lorsqu'il faisait trop de bêtises, il était privé de dîner. Qu'importe ! Il disait, déjà philosophe : « *S'e mangnu, mangnu, s'e un mangnu mi nè sto...* », « Si je mange, je mange, si je ne mange pas, je m'en moque. » Ce pour quoi sa mère l'avait baptisé « U Saviu d'Ascu », ce qu'il est resté toute sa vie. Un sage.

Aujourd'hui, il n'y a plus de sages. Plus de confesseurs, ni de directeurs de conscience, ainsi qu'on les désignait avec ces mots jugés surannés. Qu'un problème délicat, un choix difficile, se pose, nous n'avons personne à qui parler. Les médecins ont bien tenté de prendre la relève, mais, toujours pressés, les généralistes sont à la tâche. Ces médecins de famille que l'on allait consulter pour tout et rien, « le petit fait pipi au lit », « il ne travaille pas bien à l'école, » ou, plus timidement, « ça ne va pas avec mon mari », appartiennent à une race en voie de perdition.

Confrontés à des solitudes cruelles que nous avons contribué à créer, nous voici contraints de trouver des substituts et, parce qu'on ne peut pas vivre seul, sans recours, on ressent le besoin d'appartenir à un groupe. Les sectes font florès, la vie associative se développe tant que bien que mal. Mais ce n'est pas la même chose. Il n'y a plus de sages.

Intérêts ou sentiments

L'homme est trop souvent seul, alors que la famille est un élément essentiel de la vie. À force de jouer à la conquête de la liberté, on en a rejeté la notion même, et la structure familiale a disparu pour de multiples raisons. Autrefois, les mariages étaient des mariages arrangés, de ces mariages dits d'intérêts. Amour ou pas, entre les biens et les enfants en commun, on vivait ensemble sans jamais envisager de se séparer, même si chacun avait sa vie. On ne divorçait pas.

Peu à peu, Dieu merci, les hommes et les femmes ont souhaité que les sentiments et l'amour se substituent à l'argent pour lier leurs destins et leurs vies. Mais les sentiments étant ce qu'ils sont, il arrive qu'ils durent, mais ils restent soumis aux aléas de la vie, et à partir du moment où l'on a fondé un mariage sur l'amour et seulement sur l'amour, le jour où celui-ci s'éteint, la logique veut que l'on s'achemine vers le divorce, alors que personne n'a jamais divorcé d'un mariage d'intérêts !

Dès lors que se dessine la perspective du divorce, on franchit très vite l'étape suivante qui consiste à dire : « Si on se marie pour divorcer, il n'y a pas besoin de se marier. » On entre alors dans la logique de l'union libre dont, avec l'usage et les années, on finit par se rendre compte qu'elle ne manque pas de créer des fragilités, des incertitudes et, à terme, des solitudes. C'est normal : à partir du moment où on sait qu'on peut se séparer facilement, chacun assume son propre destin sans trop se soucier de celui de l'autre. Ainsi, sans l'avoir voulu, il arrive qu'on se retrouve seul. On est revenu à la notion de l'individu comme structure élémentaire de la société. L'analyse, pour sommaire qu'elle soit, correspond aujourd'hui à la réalité.

Et les enfants ?

Les enfants vivent ainsi dans le schéma de familles décomposées et bientôt recomposées. Ils n'ont souvent plus le repère de cette structure continue, protectrice et éducatrice, qu'est la famille, d'où une modification importante à laquelle personne n'a pourtant prêté attention sur l'instant. Il y avait autrefois un ministère de l'Instruction publique, car les rôles étaient partagés. L'école se devait d'instruire tandis que la famille se chargeait de l'éducation. À partir du moment où la famille n'a plus joué son rôle, le ministère de l'Instruction publique est devenu ministère de l'Éducation nationale, dans le même temps que les patronages et autres formes associatives de jeunes qui avaient une valeur d'éducation collective, de vie en groupe, disparaissaient. Le rôle de l'enseignant, qui se limitait à l'instruction, s'est alors élargi à l'éducation, apprenant même aux élèves les règles de vie en société, ce pour quoi il n'était pas fait. D'où un échec retentissant qui est également, outre celui de l'Éducation nationale, celui des familles et, au-delà, de toute une société.

Les témoignages ne manquent pas, mais on prend toujours pour exemple ce que l'on connaît le mieux et qui nous est le plus immédiat. Pour son premier poste au collège après son agrégation d'anglais, une de mes filles, qui ne manque pourtant pas de caractère, me racontait, hallucinée et ébranlée dans son enthousiasme : « Sur une heure de cours, il me faut faire cinquante minutes de discipline et d'éducation la plus élémentaire, demander de se lever en silence lorsque j'entre dans la classe, de ne pas parler pendant mon cours ou lorsque j'interroge un élève (un de leurs camarades, qu'ils sont supposés respecter)... Cinquante minutes pour les "tenir" et tenter de les intéresser à ce pour quoi ils sont là, il reste dix minutes à consacrer à l'enseignement de l'anglais ! » Je dois avouer que j'étais un peu dubitatif, car le collège n'était même pas classé en ZEP ! Pourtant, j'ai vérifié la réalité moi-même.

Pour célébrer le cinquantenaire de la Déclaration des droits de l'homme, un professeur de sciences de la vie et de la terre m'avait demandé de venir devant sa classe de 3e pour parler de « Génétique et racisme ». J'avais accepté, aimant ce genre de rencontre et trouvant l'idée séduisante.

En les voyant entrer dans leur classe, j'ai constaté que le sujet était vraiment d'actualité. Il y avait des Blancs, des Noirs, des Jaunes, des Beurs, bref... une de ces classes de certains quartiers de Marseille. Je crois avoir l'habitude de l'enseignement, y compris à des collégiens : les mots simples, les exemples, le raisonnement élémentaire et logique. Manifestement, ils s'en moquaient comme d'une guigne ! Massés au fond de la classe, ils avaient bien d'autres occupations. Entre deux grossièretés et deux rappels à l'ordre, j'ai dû sévir, à leur plus grande stupéfaction.

Au bout d'une heure, j'étais épuisé, et je ne suis pas sûr que le message soit passé. Outre de l'admiration pour leurs professeurs, j'ai ressenti une profonde tristesse devant ce gâchis. Que faut-il faire ? Comment reprendre le système en main ? Pire, est-il encore temps ?

On le voit, ce n'est pas là l'échec de l'Instruction publique, mais bien celui du système éducatif. Un échec dû à la perte des repères, comme des valeurs. Au respect des autres comme de soi. Respect... un mot qui a rythmé mon enfance. « Il ne se respecte pas », disait ma grand-mère paternelle, sur un ton réprobateur lourd de sens, à propos de quelqu'un dont elle jugeait les actes répréhensibles. « Respecte-toi », me prévenait-elle lorsqu'elle estimait que j'allais faire une bêtise ou que ma tenue était inconvenante. Respect... un mot riche qui englobe tout à la fois admiration et crainte. Je m'émerveille toujours lorsque j'entends des hommes, des femmes, d'un âge certain, qui ont fait leurs preuves, parler du respect, bien différent de l'amour et des sentiments d'affection, qu'ils ont pour leur père, leur mère. Les jeunes d'aujourd'hui ont souvent perdu cette idée de respect et avec elle leurs repères et toute notion de valeurs, face à des parents qui semblent avoir renoncé à assumer leur éducation, à délimiter leur terrain, à ne plus marquer les barrières de ce que l'on peut faire ou pas, ce qui est interdit ou autorisé et, par voie de conséquence, n'en sont plus responsables. Mais comment les adultes imposeraient-ils des règles aux enfants quand eux-mêmes refusent le plus souvent de s'y plier ?

Transgresser

Il ne peut pas y avoir de société organisée et donc vivable sans interdits fondateurs et, malgré un relâchement certain de nos règles sociales, le premier des interdits fondateurs, « Tu ne tueras pas », a toujours la même valeur. Ce n'est que parce que nous sommes des êtres humains, c'est-à-dire doués de conscience, que nous pouvons, « en conscience », dans une situation précise, estimer qu'il est justifié de transgresser l'interdit. Mais en état de légitime défense, il est accepté que l'attaqué transgresse l'interdit pour se défendre. Interdit, il arrive que le mensonge soit nécessaire. La transgression s'impose parfois. Mais il y a danger quand elle devient habitude, enlevant alors toute sa signification à l'interdit. Dès lors, la société perd ses repères. L'exemple type de l'interdit devenu habitude est certainement l'IVG.

En 1975, après beaucoup de dialogues intérieurs avec ma propre conscience, j'aurais, je le sais, voté la loi Veil sur l'IVG, parce que j'estime juste de permettre à chaque femme dans la détresse, après réflexion et analyse de sa situation, de faire ce choix. J'appartiens à la dernière génération qui a vu mourir dans des conditions aussi horribles que pitoyables des femmes désespérées victimes des « faiseuses d'anges ». La sélection par l'argent rendait ces situations encore plus insupportables. Il y avait celles qui pouvaient aller à l'étranger, qui pouvaient payer, et les autres, doublement victimes. La transgression s'impose parfois et doit rencontrer compassion et attention, plutôt que rejet et condamnation.

En revanche, avec une société qui pratique 220 000 IVG chaque année, je pense que nous avons quitté le domaine de l'exception pour entrer dans celui de l'habitude, ce avec quoi personne ne peut être d'accord, en conscience.

Comme beaucoup d'entre nous, je comprends bien tard qu'en 1968, on a mis à bas toutes les valeurs qui construisent une société, lui déniant tout droit ou capacité à s'organiser, pour sombrer dans une espèce de mouvement fou où chacun fait ce qu'il veut, où il veut, comme et quand il le veut, en ignorant parfaitement tous les autres. D'où la perte de la notion de responsabilité. Or, la liberté sans la responsabilité débouche sur l'agression permanente de l'autre. Il ne semble plus exister de boussoles pour guider les consciences et éviter qu'elles ne s'égarent.

Il me souvient, il y a déjà un certain temps, avoir été invité par une station de radio à donner mon avis sur un sujet contre lequel je ne pouvais que m'élever. Ce que je n'ai pas manqué de faire, à la grande surprise du journaliste qui m'a lancé : « Monsieur Mattei, vous êtes un libéral, comment se fait-il que vous teniez des propos

d'écologistes ? » Tout simplement parce que le libéralisme est d'abord un humanisme, au sens vrai du terme,
il impose le respect de soi et celui de l'autre. Ainsi, je fais
preuve de libéralisme lorsque je m'impose de la rigueur
dans le diagnostic, lorsque j'exige un long échange pour
éclairer les enjeux, et lorsque enfin je respecte la décision
en conscience du couple qui désire mettre fin à une grossesse en raison d'une malformation fœtale sévère. Je
prends des positions, je n'interdis pas d'interdire, bien au
contraire. C'est une question de conscience appuyée sur
un système de valeurs.

Exigence et tolérance

Ce disant, j'apporte de l'eau au moulin de la jeune
génération, celle qui a vingt ans aujourd'hui et grâce à
laquelle nous allons, dans les années à venir, connaître
une période enthousiasmante. Je crois bien les connaître,
ces jeunes, j'ai des enfants dans ces âges et je vais régulièrement, chaque mois, dans des lycées rencontrer quelque 150 à 200 élèves de classes de terminales auxquels
je parle d'éthique avant que nous ne débattions du sujet.
Nous avons toujours des échanges très riches.

Mes étudiants en médecine, eux, ont entre vingt et
vingt-cinq ans, et je peux dire que cette génération mon-
tante est bien meilleure que celles qui ont précédé. Ils
ont compris que la vie devait se bâtir sur deux vertus qui
peuvent paraître contradictoires, mais se marient parfaitement quand on y réfléchit. C'est d'une part l'exigence,
l'exigence de la vérité, de l'authenticité, l'exigence de l'effort. De l'autre, la tolérance. Si on accompagne ces jeunes
de la nouvelle génération, si on les encourage en recons-
truisant avec eux une société dont ils comprendront
qu'après avoir erré, s'être cherchée, elle commence à se
trouver, à forger de nouveaux repères, alors ils vont y
adhérer et la prendre en charge. Cela demandera du
temps, ceux de mon âge ne le verront peut-être pas,
hélas. Qu'importe, il faut savoir investir même quand

d'autres devront récolter ! Mon autre grand-père, maternel celui-là, a fait une brillante carrière d'officier de la « Coloniale ». Il a été l'aide de camp du maréchal Lyautey, à propos duquel il racontait l'anecdote suivante. Arrivé au Maroc, face à certaines étendues désertiques, Lyautey s'avisa :

— Il faut planter des arbres.

Son entourage lui opposa :

— Il y a des choses plus urgentes à faire, les arbres vont mettre des années à pousser.

— Raison de plus pour commencer dès demain, rétorqua Lyautey, imparable.

Elle est remarquable, cette réflexion qui exprime tout à la fois l'espoir, la confiance et la générosité. Lyautey sait qu'il ne profitera ni de l'ombre ni de la beauté de ces arbres qui vont transformer ce paysage aride. Qu'importe ! Il pense à demain, aux générations qui vont suivre. Cela s'appelle le long terme, et c'est une notion qu'il faudrait ne jamais perdre de vue. Ce qui n'est pas toujours facile, j'en conviens. Tout particulièrement en politique, où on est tenu par la durée limitée des mandats rythmés par les échéances électorales tous les cinq, six ou sept ans pour la plus longue, la présidentielle. Personne ne saurait reconstruire le monde à échéance de sept ans !

Cette notion du long terme est valable dans bien d'autres domaines. J'ai élaboré et suivi de très près la réforme des études de médecine et de l'internat. En allant au plus vite, elle s'appliquera en 2001-2002, ce qui signifie que les premiers médecins formés selon ces nouvelles méthodes s'installeront en 2010. Les conséquences bénéfiques de leurs pratiques ne se feront sentir que quelques années après, soit en 2015 ! Il faut une certaine volonté, des convictions solides et de la confiance dans l'avenir pour entreprendre de telles réformes. C'est sans doute cela, le sens de l'État.

Je cite cet exemple des études médicales, mais celui des retraites serait encore plus frappant. Il faut, dans ce domaine, penser sur des périodes de quarante ans. On comprend la tentation, lorsque les décisions à prendre sont impopulaires, de les laisser prendre par d'autres en gagnant du temps !

Ce même décalage se retrouve également parmi les préoccupations d'un conseil municipal – je le vis quotidiennement à Marseille. Ainsi, entre le moment où on estime nécessaire de construire une autoroute ou un boulevard périphérique, et le moment où la première voiture roule sur cette autoroute, huit, parfois dix ans, se seront écoulés. C'est beaucoup, mais il n'est cependant pas possible de faire autrement.

Au premier stade, on lance l'idée, une étude est alors faite, avec des enquêtes de circulation, de population, de transports... ce qui demande un à deux ans. Commencent alors les études préliminaires, environ trois ans, en fonction desquelles on va lancer des avant-projets de tracé. Vient alors le temps des premières estimations financières qui déboucheront sur les procédures d'expropriation, les acquisitions de terrain, les enquêtes publiques, les enquêtes de financement, les enquêtes de faisabilité... Démarches qui peuvent se solder par des recours, des appels devant les tribunaux, etc., pour lesquels il faut compter près de trois ans. On en arrive aux appels d'offre, ce qui va prendre encore un an. Soit un total de sept ans, auquel il convient d'ajouter trois années de chantier. Il n'aura pas fallu moins de dix ans pour réaliser une idée. Dix ans ! Et, il faut le savoir, dix ans après les besoins ne sont plus les mêmes. Ce pour quoi il faut toujours anticiper.

Même scénario, si ce n'est pire, lorsqu'il s'agit de construire un hôpital. Je vais livrer une histoire vraie, que j'ai personnellement vécue. J'ai pris mes fonctions à l'hôpital de la Timone à Marseille lors de son inauguration en 1974. Au dernier étage, réservé dans sa totalité aux tuberculeux, toutes les chambres étaient situées au sud, donnant sur une très grande galerie. La tuberculose signifiant de longs séjours, les malades devaient pouvoir profiter des bienfaits du soleil. À ceci près qu'entre sa conception et son inauguration, plus d'une dizaine d'années s'étaient écoulées et la tuberculose avait presque disparu. Il n'y a jamais eu de tuberculeux pour de longs séjours à l'hôpital de la Timone !

Autre scénario pour le quatorzième étage, directement desservi par « son » ascenseur. Il s'agissait de l'étage des maladies « quarantenaires » exigeant un isolement absolu, avec sas et circuits indépendants. Sauf que... en 1974, la variole, la peste et le choléra n'existaient plus, ou se prenaient en charge différemment. Ces deux étages étaient donc obsolètes au moment de leur achèvement, puisqu'ils avaient été conçus sur des normes anciennes. Ils ont été bien sûr modifiés et adaptés par la suite.

On peut supposer que ces exemples, et tant d'autres de la même veine, sont à l'origine de la phrase « gouverner, c'est prévoir ».

Oui, gouverner c'est décider, mais c'est également, c'est avant tout prévoir. Or, on ne peut pas tout prévoir, même si, de temps à autre, il y a des visionnaires. Dans ce siècle où tout va trop vite, les responsables font fatalement des erreurs, et on ne peut pas leur en vouloir. À condition cependant d'en tirer des leçons pour éviter d'y retomber. On progresse même souvent grâce à ses erreurs, pour autant qu'on les accepte, qu'on les analyse et qu'on les utilise. Ce qui suppose des esprits et des consciences solidement structurées, un certain discernement, un jugement sain, une once de sagesse et le solide bon sens dont on savait faire preuve autrefois.

Et si on prenait soin de la Terre...

Je ne suis pas politiquement un « vert », au sens où je pense que l'on ne peut pas construire un projet politique global sur des considérations purement écologiques. Je ne pense pas qu'on puisse traiter la guerre du Kosovo, l'éducation nationale, etc., exclusivement en termes d'écologie. En revanche, je pense que l'écologie doit aujourd'hui être une préoccupation et même un élément déterminant dans un projet politique, car on ne peut pré-

tendre agir pour l'homme sans se soucier de son environnement.

Le mot « terre » a plusieurs sens, il y a plusieurs sortes
de terre. La Terre, avec un grand T, une planète du système solaire parmi les autres. Le sol sur lequel nous
vivons, nous construisons, et aussi cette terre dans
laquelle nous semons, plantons, que nous cultivons...
notre terre nourricière.

J'aime beaucoup l'image du soc de la charrue qui s'enfonce et retourne la terre. Mais la terre n'est riche et
féconde qu'à partir du moment où elle s'offre, où elle est
généreuse. Dès lors, sans la personnifier, elle devient
effectivement un véritable interlocuteur, car il y a un
échange permanent entre elle et nous. La terre donne à
l'homme. En échange, il doit la respecter.

Pour en revenir à nos préoccupations quant à ce que
nous cultivons et la nourriture que nous donnons aux animaux, j'entendais il y a peu un éleveur se défendre sur
les ondes : « Nous nourrissons les animaux avec des farines parce que nous n'avons pas assez d'herbages. » Ce
qui est faux, absolument faux. Nous avons des pâturages
et nous avons des herbages, dans lesquels nous ferions
bien de faire paître nos vaches, ne serait-ce que pour
entretenir le sol, et maîtriser la végétation. C'est d'ailleurs
ce qui se fait dans nombre d'exploitations qui ont préféré
la tradition et la qualité au rendement industriel. Il faut
savoir faire la part des choses.

En Provence, on a redécouvert l'intérêt de faire paître
des troupeaux de moutons, de chèvres, de brebis dans les
forêts, parce qu'en broutant herbes, arbustes et jeunes
pousses, ils nettoient les sous-bois, ce qui est une façon
efficace de lutter contre les incendies, d'empêcher qu'ils
se propagent.

La nature n'aime pas qu'on l'ignore, elle n'aime pas
qu'on la trahisse, qu'on la néglige... Combien avons-nous
constaté de catastrophes, éboulements, inondations, qui
n'étaient dus qu'à une ignorance, une méconnaissance
des impératifs de la nature environnante ? Que se passe-
t-il lorsqu'on assèche pour construire dans des zones

marécageuses ou alluviales ? Chaque fois que la nature est agressée ou négligée, un peu comme une vieille maîtresse qui ferait du chantage, elle se venge.

Personnellement, je trouve d'un réalisme frappant cette phrase d'Alfred Hitchcock. Le maître du suspense montrait une grande connaissance de la nature en répondant à ceux qui s'étonnaient de la violence de son film *Les Oiseaux* : « La nature peut nous faire disparaître de la surface de la terre. » Comme elle le veut, quand elle le veut. Car, ne l'oublions pas : « Nous ne sommes pas propriétaires de la terre héritée de nos ancêtres, mais nous l'empruntons à nos enfants », ainsi que le dit Saint-Exupéry et que le concrétisera, des années plus tard, le commandant Cousteau en créant la Fondation pour les générations futures.

L'homme et la nature

Au lendemain de la Révolution française a été proclamée la Déclaration universelle des droits de l'homme afin de poser un certain nombre de règles fondées sur la dignité humaine. En raison des atrocités de la période nazie, il a fallu rappeler et renforcer certains de ses principes fondamentaux en 1948.

Puis, au fil du temps, on a voulu y ajouter les droits de la femme, les droits des enfants, et puis on a décliné le droit des minorités, jusqu'à arriver aux droits de la nature, et je ne suis pas sans m'interroger sur la logique de cette déclinaison.

La Déclaration universelle des droits de l'homme est une globalité. Et tout ce qu'on pense utile d'y ajouter, droits de la femme, droits de l'enfant, droits des minorités, droits des animaux, au fil des bonnes intentions, ne saurait que l'affaiblir en sa puissance initiale. À mon avis, la Déclaration universelle des droits de l'homme inclut le respect de la nature, car l'homme a droit à une nature respectée et respectable. Ne serait-ce parce que, sans nature, il n'existe plus, c'est tout à fait évident.

La nature, elle, peut certainement se passer de nous, mais nous avons une longue histoire commune. Et je pense qu'en définitive, notre sort est lié.

C'est un sujet sur lequel je me suis longtemps interrogé. Du fait de mon intérêt pour la génétique, j'ai tenté de revisiter à chaque découverte l'éternel débat entre l'inné et l'acquis dont je sais qu'il ne peut être tranché facilement, contrairement à ce que voudraient faire croire certains idéologues partisans. Je sais que la nature exerce une pression de sélection sur les gènes, mais je sais aussi qu'inversement, si l'homme se mettait à intervenir en sélectionnant les gènes, il pourrait agir sur la nature.

Et quand je me bats pour dire que nous ne pouvons pas accepter la dictature du tout génétique, par définition, je veux souligner le rôle majeur de l'environnement dans l'expression génétique, donc dans l'expression de la vie. Nous dépendons tout à la fois de nos gènes et de notre environnement, au sens le plus large du terme. Si l'homme a besoin de la nature, je n'irais pas jusqu'à dire que la nature a besoin de l'homme, parce que cela signifierait qu'elle a une volonté, qu'elle éprouve des sentiments de dépendance et poursuit une finalité. Je ne suis pas certain qu'une pierre posée dans le désert du Ténéré a finalement besoin qu'un jour, un homme la découvre, la ramasse et l'observe. Mais je peux affirmer que la communion de l'homme et de la nature procure un réel sentiment de plénitude et de sérénité.

Il y a manifestement une sorte de contrat entre l'homme et la terre. Elle n'est pas la chasse gardée des seuls hommes qui la cultivent, des poètes qui la chantent, ni des savants qui l'explorent. Elle appartient à chacun car elle a une part importante dans la quête infinie du bonheur. Il n'est pas non plus totalement anodin d'observer que, lorsque l'homme a besoin de se retrouver avec lui-même, il se confie à la nature.

De tout temps, à son échelle et avec ses moyens, l'homme s'est approprié la nature, les hauts lieux pour la paix retrouvée comme ceux sur lesquels il fait régner l'agitation indispensable à la vie. Je prendrai l'exemple de la conquête du Far-West. Il suffit de lire Lucky Luke – et d'avoir gardé son âme d'enfant – pour voir comment l'homme aménage un désert à perte de vue. Il pose des rails et bientôt un train arrive. Autour d'un point d'eau, les maisons surgissent jusqu'à former un bourg. Le shérif s'installe... On voit comment, en peu de temps, l'homme est capable de donner vie au désert, d'aménager la nature... Il a parfois dépassé ses objectifs et l'a vite appris à ses dépens. Les rappels à l'ordre ne tardent pas !

Aujourd'hui, les rapports homme-terre ont sans doute changé, mais cela ne tient pas tant au comportement de l'homme qu'aux moyens qu'il utilise. Quand il construisait des pyramides, des cathédrales, avec des seuls leviers et quelques palans, il se heurtait forcement à une contrainte, celle du temps. Parce que cela prenait beaucoup, beaucoup de temps, on pouvait réfléchir, bien poser les choses. Sur une, deux, trois générations. C'est extraordinaire de compter le nombre des années qui se sont écoulées entre le jour où on commence et celui où on termine. Avec les moyens dont nous disposons aujourd'hui, bulldozers, grues, équipements modernes et ordinateurs, tout se fait très rapidement. Nous avons perdu le temps de réflexion, et c'est probablement ce qui nous manque.

La sagesse ne peut provenir que de la réflexion et du discernement.

7

FACE AUX CHOIX

S agesse et bon sens... Si elles sont nécessaires, il n'est pas certain que ces qualités soient suffisantes pour permettre à l'homme de faire face à ces rapides changements de société dont, fasciné mais déconcerté, il est tout à la fois acteur et spectateur. C'est qu'il n'est pas facile de vivre une révolution scientifique au rythme auquel nous la vivons, en accéléré, presque au quotidien. Elle est fabuleuse, cette époque, avec ses découvertes, mais elle nous bouscule, or, l'homme a besoin de temps pour assimiler, reprendre son souffle, afin de bien comprendre, pour mieux utiliser. Ce n'est pas toujours le cas. Les découvertes sont trop nombreuses, proposées par une science dont les progrès se font à une vitesse telle que l'homme ne peut s'y adapter, les gérer et les dominer au même rythme. D'autant que, toujours, elles entraînent de nouvelles responsabilités.

Le droit des malades

Certaines questions s'imposent, qui me touchent tout particulièrement. Je dois l'avouer, j'ai été assez troublé par un nombre de démarches récentes concernant l'accession à des droits dans le cadre de ce que j'appelle la « déclinaison des droits ».

Le gouvernement a annoncé un projet de loi sur le « droit des malades », auxquels il s'agit de permettre l'accès à leur dossier dans le cadre d'une très grande transparence. Ce qui, à mon avis, présente un certain nombre d'avantages, à commencer par une amélioration de la tenue de ces dossiers et une meilleure information des patients. Il est évident que les médecins se sentiront contraints à mieux exposer le fond de leur pensée, ce qui, dans la très grande majorité des cas, ne devrait pas poser de problèmes. Il n'en demeure pas moins que si un dossier médical comporte des éléments qui appartiennent au malade – les résultats des analyses, les ordonnances, les examens prescrits, etc. –, sur ce dossier figurent également, parce que c'est nécessaire à la bonne marche des choses, des appréciations subjectives du médecin, une sorte de guide pour le cheminement de sa pensée, qui ne lui sont pas destinées.

Les exemples sont nombreux. Je prendrai celui d'un patient dont le médecin s'aperçoit assez vite qu'il est hypocondriaque. Peut-il pour autant inscrire sur ce dossier : « hypocondriaque », « malade imaginaire », sachant qu'à tout moment le malade peut demander à le consulter ? Si le médecin ne note rien et que le malade décide de consulter un autre praticien, celui-ci ignorera l'opinion de son confrère, le passé pathologique de son nouveau patient, et devra repartir à zéro pour se forger sa propre conviction.

Dans un autre domaine, lorsqu'un médecin découvre, par examen génétique, que le père déclaré de l'enfant qu'il traite n'est pas son père biologique, va-t-il le noter en clair sur le dossier, dossier que le père supposé peut demander à consulter à tout moment ? Ce serait de nature à nuire à la paix des ménages, alors même que personne n'a rien demandé. Or, ne pas le noter, c'est se mettre en tort, enfreindre la loi.

Je passe naturellement sur certains diagnostics impliquant une issue fatale. Comment envisager d'inscrire : « Cancer pulmonaire avec métastases, pas d'issue thérapeutique possible », sachant que le malade peut en prendre connaissance ? Car ce malade, ce n'est pas seulement un « cancer pulmonaire avec métastases ». C'est avant tout un homme, qui souffre, qui veut comprendre, qui veut guérir. Le fait de savoir ne va pas forcément l'aider.

On ne peut donc méconnaître les effets pervers réels qui risquent de nuire à la bonne tenue des dossiers. Ou alors, on arrivera à des faux-fuyants, à des attitudes hypocrites sous forme de signes cabalistiques ou abréviations inintelligibles, sans parler de dossiers parallèles. Comment trouver le plus juste équilibre entre ce qui appartient naturellement au malade et ce qui relève de la démarche propre au médecin ?

Le malade veut savoir, il en a le droit. En théorie, c'est très bien. Mais lorsqu'il lit : « cancer, condamné », il lui faut pouvoir assumer ! Il revient au médecin d'apprécier le tempérament, les modalités et l'accompagnement. Dans la pratique, je l'ai souvent constaté, la plupart des gens qui veulent savoir sont ceux qui n'ont rien à apprendre, car on n'a rien à leur dire. Ceux qui sont dans des situations plus délicates aimeraient bien qu'on leur reconnaisse le droit de ne pas savoir.

En les informant à tout prix, il me semble que l'on prive les patients de ce médiateur, leur médecin, entre eux et eux-mêmes, eux et leur souffrance, eux et leur maladie. Leur donner accès à leur dossier revient à les pousser, ce qui est encore plus triste et inquiétant, à faire une démarche frappée du sceau de la méfiance. « On ne me dit pas la vérité, je ne fais plus confiance à mon médecin, je veux tout voir. » Toute démarche fondée sur le manque de confiance est vouée à l'échec. Le poids de sa seule responsabilité devient bien vite insupportable pour celui qui ne peut pas, à un moment ou à un autre, s'en remettre à un interlocuteur privilégié alors qu'il se trouve en grande difficulté. On ne s'est que trop privé, je le déplore, du côté humaniste des médecins, et voilà qu'on va se priver de ce dernier recours, de leur aide ultime. Je ne suis pas certain qu'en voulant obtenir tous les droits liés à l'individu, à la personne, on soit dans une démarche porteuse d'espérance. J'y vois plutôt une aggravation de la solitude dont beaucoup trop souffrent aujourd'hui.

113

Donner la mort

Au travers de la révolution scientifique qui bouleverse notre époque et nos convictions, l'homme s'imagine qu'il peut désormais maîtriser la vie. Il peut concevoir à volonté au fond d'une éprouvette. Il peut s'assurer, par le diagnostic prénatal ou préimplantatoire, de la qualité de la vie à venir pour, en quelque sorte, la choisir. Puisqu'il pense dominer le début de la vie, comment ne serait-il pas tenté d'en maîtriser la fin ?

La mort devient ainsi, pour notre société, pour chaque homme, un sujet de préoccupation majeure dont les dimensions métaphysiques rejoignent la crainte des épreuves infligées au corps.

Récemment, le Conseil de l'Europe, dans une réflexion sur la fin de vie, se déclarait « convaincu que les malades mourants tiennent avant tout à mourir dans la paix et la dignité, si possible avec le confort et le soutien de leur famille et de leurs amis ». Il ajoutait que la prolongation de la vie ne doit pas être en soi le but exclusif de la pratique médicale qui doit viser tout autant à soulager les souffrances. Tout effort pour répondre aux préoccupations des malades incurables et des mourants doit évidemment être fondé sur la dignité de l'être humain et les droits qui en découlent. Certains citoyens viennent voir leur médecin pour lui demander son aide. « Nous sommes encore dynamiques mais nous ne voulons pas, à la fin de notre vie, par une déchéance physique ou morale progressive, laisser une image dévalorisée. Nous voulons mourir dans la dignité et nous voulons de l'aide pour cela. »

Cette démarche est raisonnée et fondée sur la longévité accrue, où quelquefois se dissocient vieillissement physique et moral, vieillissement intellectuel... Alzheimer, les démences préséniles, toute une série de pathologies du troisième ou du quatrième âge font que les gens s'interrogent.

Mon sentiment sur la question est double. Tout d'abord un médecin et, à mon avis, une société, ne devraient jamais accepter que certains aient le pouvoir de donner la mort. D'autant que le problème est mal posé. Si on parle beaucoup aujourd'hui d'euthanasie, c'est qu'il y a une défaillance dans la prise en charge de la douleur, dans les soins palliatifs, dans l'accompagnement des mourants. Ce n'est pas tant la mort que les gens souhaitent, mais ne pas souffrir. Personne ne veut être abandonné ou avoir une fin solitaire. Et plutôt que d'organiser la mort par l'euthanasie légiférée, il faut que nous la rapprivoisions. La mort est un moment privilégié de la vie, nous devons la prendre en charge en sachant effectivement prendre des risques, car on sait qu'un traitement contre la douleur, seul apte à soulager, risque de hâter la fin. C'est une balance des risques.

On ne décide jamais délibérément « c'est terminé ». Ce serait renoncer à l'une des références fondamentales de la vie parce que, et on le voit en Hollande, il y a toujours des motivations cachées...

Il y a quelque temps, une jeune femme infirmière dans un service de gérontologie a défrayé la chronique. Au prétexte que de nombreux vieillards le lui avaient demandé, elle n'avait pas hésité à abréger leurs souffrances. Il y a eu dérapage !

Chaque fois que des infirmières ou du personnel soignant ont cédé à l'euthanasie, c'était l'expression du désespoir face à l'incapacité à soulager, à accompagner, à entourer. C'était en fait un constat de solitude et d'impuissance. Je ne pense pas qu'à partir de l'affaire de Mantes, on puisse avoir une généralisation de ce comportement, qui a d'ailleurs fait – et je m'en félicite, car je suis contre l'euthanasie – beaucoup de mal à sa cause. On est prêt à comprendre le témoignage d'une infirmière expliquant, les yeux humides, pourquoi, devant ce vieillard qui souffrait le martyre et devant l'impuissance des médecins à le soulager, elle a jugé humain et charitable de céder à la compassion et de l'aider à passer. Ce que personne ne peut condamner. Comme personne ne peut accepter qu'un soignant se transforme en *serial killer* ! D'autant qu'il ne faut pas se contenter d'un examen superficiel quand le désir de mourir est exprimé par un malade. Les soignants, sa famille et ses proches doivent d'abord déterminer si ce souhait est l'expression authentique de sa volonté ou s'il ne traduit pas plutôt une demande d'attention plus soutenue dans les domaines thérapeutique et spirituel.

Il ne faut, à mon avis, pas légiférer sur l'euthanasie mais bien sur la fin de vie. Une véritable volonté politique dans ce domaine doit donc s'attacher à répondre à quelques impératifs cruciaux. Personnellement, j'en distingue quatre :
- rendre la mort plus familière et plus familiale,
- aider et entourer les familles,
- développer divers types de structures spécialisées,
- former les praticiens et organiser des équipes pluridisciplinaires.

Le droit de savoir

Dans le cadre de la révision des lois d'éthique biomédicale, il faut aborder le sujet de l'identification, des empreintes génétiques, examens qui permettent de définir la filiation de façon formelle. Si on va jusqu'au bout de la logique du droit de savoir, cela signifie laisser le libre accès au laboratoire qui, sur simple demande citoyenne, va procéder aux études génétiques permettant d'affirmer – ou d'exclure – une filiation. La question soulevée a de quoi donner du souci.

En France, nous avons pris des mesures telles que ces laboratoires sont sélectionnés, agréés et ne peuvent intervenir que sur commission rogatoire, c'est-à-dire à la demande de la Justice. Mais dans certains pays qui nous sont proches, l'accès à ces laboratoires est libre. Quand on sait que, en moyenne, un enfant sur huit n'est pas du père présumé, je laisse à penser ce que la pratique de telles analyses non réglementées pourrait entraîner...

Pendant longtemps, j'ai entendu dire, notamment quand je suis arrivé à l'Assemblée nationale, « tu abordes ce sujet parce que tu es médecin, que tu es généticien. Mais c'est une question de spécialistes et de scientifiques, éventuellement de philosophes, de juristes. Ce n'est pas le problème des citoyens, des députés... » Qu'on se détrompe, dans des champs aussi divers que l'expérimentation humaine, la transplantation d'organes, le secret médical, la fin de la vie, l'assistance médicale à la procréation, le diagnostic prénatal, la médecine prédictive, si la question vient de la médecine, la réponse s'applique à l'ensemble de la société. Pour mieux illustrer mon propos, je voudrais faire référence à l'« affaire » Yves Montand. Une affaire extrêmement simple en soi. Yves Montand a une aventure avec une femme, laquelle a bientôt un enfant qu'il ne reconnaît pas. Elle l'attaque. Persuadé qu'Aurore Drossard n'est pas sa fille, Montand s'énerve : « Il n'est pas question que je cède au chantage. Je refuse la prise de sang et je contre-attaque pour diffamation. Quand la justice m'aura rendu raison, nous verrons. » Son action aboutit, Mme Drossard est déboutée. Mais, alors qu'il avait prévu d'accepter les prises de sang une fois la justice rendue, Yves Montand meurt. On se trouve devant une situation assez étonnante. Parce que Montand a refusé la prise de sang, Aurore Drossard est reconnue pour sa fille car, au regard de la loi, à partir du moment où il y a refus, il y a présomption de paternité, alors que la procédure mise en route par Mme Drossard a été condamnée. La famille de Montand demande alors l'exhumation du corps pour étude génétique de son ADN — il faut savoir que les techniques pratiquées aujourd'hui permettent d'identifier sans le moindre doute l'ADN des morts. Et le prélèvement démontre qu'en aucun cas, Yves Montand ne peut être le père d'Aurore Drossard... Ce qui va beaucoup plus loin qu'un simple fait divers à la une des journaux.

Un prélèvement posthume a permis une analyse génétique excluant une paternité supposée. Or, il faut se souvenir que cette paternité avait été automatiquement reconnue au premier jugement, puisqu'Yves Montand s'était refusé à la prise de sang. Donc, au moment où il

117

est mort, Aurore Drossard était reconnue comme sa fille. Voilà qu'une affaire amène à déranger les morts !

La situation est délicate, elle soulève des problèmes importants, il faut en tirer des enseignements. Les analyses d'ADN étant maintenant faciles à réaliser, que va-t-on faire ? Accepter l'exhumation en série à la moindre contestation et à la moindre quête de la justice ? La justice va-t-elle s'arrêter aux portes des cimetières ? Ce qui signifie qu'un certain nombre d'injustices persisteront alors qu'on a la possibilité de les lever et de les corriger... En revanche, si on décide que la justice doit aller au bout de ses recherches, jusque dans les cercueils, on va voir monter en flèche le taux des incinérations. Là, pas d'analyse possible, mais d'ici à ce que l'on considère les gens qui demandent à être incinérés comme ayant quelque chose à dissimuler, il n'y a pas loin.

Un vrai problème se pose de savoir où s'arrêtent les droits des uns et où commencent ceux des autres. Avec en arrière-plan, évidemment, le conflit de valeurs entre le respect qu'on doit à un mort, à qui on reconnaît le droit au repos éternel, et le droit des vivants à savoir. Y compris ce que les morts pourraient cacher.

Ce qui signifie, dans la circonstance, qu'on est en train d'ouvrir de nouveaux champs du droit, de nouveaux champs de conflits éventuels, qu'on va choisir de privilégier certains droits face à d'autres. La chose n'est pas simple et la morale qui ne change pas, même quand on l'interprète, est rudement mise à l'épreuve. Il y a là également, outre un conflit de droits, un conflit de principes moraux. *Quid* du respect dû aux morts face au devoir de vérité ? Or, il faut bien, dans une situation donnée, trancher. Je suis quelque peu perplexe, ayant personnellement tendance à penser qu'en matière civile, la justice doit s'arrêter à la porte du cimetière. En matière pénale, il en va autrement. Pour punir les assassins éventuels, il est normal qu'on puisse déterrer les morts, c'est d'ailleurs là tout le champ de la pratique médico-légale. Mais en matière de contestation de paternité, faut-il aller jusqu'à

118

ouvrir les cercueils ? Il semble juste, selon moi, de retenir l'interdit fondateur qui est de respecter les morts.

Dans le passé, si les exhumations n'ont pas été plus fréquentes, c'est parce qu'il n'y avait pas de possibilités d'analyses. Aujourd'hui où les analyses sont faciles à pratiquer et formelles quant aux conclusions, on ne peut pas pour autant envisager de réserver une annexe du cimetière aux exhumations, pas plus que contraindre les gens à être incinérés plus souvent qu'à l'accoutumée par crainte d'être un jour exhumés. Il faut donc prévoir un certain nombre de cas particuliers, ou jugés tels, par des décisions judiciaires. Faute de quoi les cas rares risquent de s'amplifier.

Le droit de procréer

On a chaque jour à faire face à de nouvelles questions dont il nous faut trouver nous-mêmes les réponses ; en sommes-nous seulement capables ? Comme nous n'avons jamais été confrontés à de telles situations, personne n'a pu nous mettre sur la voie. Quant à ceux qui sont à l'origine de cette révolution scientifique, ils cherchent, ils trouvent, ils crient « eurêka » et se congratulent, mais ne se préoccupent en aucun cas des bouleversements qu'ils apportent à la société.

On déterre les morts, et on sait si bien les faire parler que même les momies, par l'étude de leur ADN, n'ont plus de secret pour nous, soit. Mais n'est-ce pas aller un peu loin et jouer aux apprentis-sorciers, alors que nous ne dominons toujours pas, pire, nous ne l'avons toujours pas assumée, la révolution contraceptive. Nous voici là encore dans une situation socialement stupéfiante. Il faut se rappeler que, jusqu'en 1965, la préoccupation majeure des couples aura été de pouvoir s'aimer sans pour autant faire un enfant. On ne connaissait que la méthode Ogino, la méthode des températures, le coïtus interruptus et autres... qui faisaient au contrôle des naissances une place importante dans les histoires d'amour.

119

À partir de 1965, la pilule contraceptive change radicalement les comportements amoureux. On assiste alors à une libéralisation des mœurs telle que, à partir du moment où on peut gambader et folâtrer sans courir le risque de procréer, on ne voit plus très bien pourquoi le contrat matrimonial serait le système qui organise la société. On est ensemble, on prend son plaisir, du plaisir en tout cas, et le jour où on décide de faire un enfant, on « régularise ». Ce qui a considérablement changé les mentalités face à la procréation et à la famille.

Ce qui a encore davantage changé les comportements, c'est, lorsque assez rapidement, environ une dizaine d'années plus tard, les chercheurs ont mis au point l'insémination artificielle et la fécondation *in vitro*, un grand pas dans l'histoire de la procréation. On avait franchi une nouvelle étape, passant très vite de l'époque où sexualité et reproduction étaient intimement liées à celle d'une sexualité enfin libre, mais à laquelle la reproduction était tout de même encore liée. Voilà que, sans transition, on peut ranger la sexualité d'un côté, la reproduction d'un autre, on n'est même plus tenu de passer par un rapport physique avec un partenaire pour concevoir. C'est bien la séparation de la sexualité et de la reproduction, ce qui renvoie la sexualité aux mœurs, au comportement social. On assimile le rapport sexuel et le plaisir qu'il procure à un bon repas.

Concevoir un enfant, c'est autre chose. On peut toujours le faire par des voies naturelles, d'autant que cela ne va pas sans procurer un certain plaisir, mais on peut également le faire sans rapprochement. C'est tellement vrai que peu de temps après l'apparition de l'insémination artificielle, des détenus condamnés à de longues peines avaient demandé à concevoir des enfants, eux donnant leur sperme de leur prison, livré par porteur spécial à leur épouse restée chez elle, le médecin se chargeant d'organiser la chose ! Ce qui ne va pas sans créer des situations nouvelles !

Selon leur sensibilité, leur éducation, leur personnalité, les uns considéreront que le plaisir et la reproduction sont liés. Pour d'autres, le plaisir peut exister pour lui seul, il reste néanmoins lié à la reproduction. D'autres encore estimeront : « La procréation assistée, c'est désormais la reproduction sans le plaisir. »

Ce qui est déjà compliqué. Mais ce serait compter sans l'arrivée du clonage, qui propose de nouvelles possibilités. On peut imaginer qu'une femme procrée seule, avec son propre ovule dont on enlève le noyau que l'on remplace par un des noyaux de ses cellules cutanées, par exemple. L'ovule, portant alors les chromosomes d'un noyau adulte, est implanté dans l'utérus, et cette femme peut accoucher d'elle-même neuf mois plus tard... C'est la « reproduction », au sens vrai du terme.

J'en profite pour souligner que l'on emploie généralement à tort le mot « reproduction ». Quand un homme et une femme donnent la vie, ils ne se reproduisent pas, ils conçoivent. Le clonage, lui, est véritablement une reproduction, puisqu'il s'agit d'une femme qui se reproduit elle-même, sans l'aide obligée de l'homme. On n'a rien inventé, cela fait même diablement penser à la société des amazones – mais on a trouvé le moyen de le faire.

Le droit à la qualité

Il y a donc véritablement sur le plan de la reproduction – gardons ce terme traditionnel – une évolution considérable. Je pense que nos sociétés n'en ont pas suivi les différentes étapes avec suffisamment d'attention, ce pourquoi nous avons du mal à assumer ces changements. D'autant qu'une autre préoccupation est venue s'ajouter à la première. À partir du moment où le nombre des enfants que risquaient d'engendrer ses rapports sexuels n'a plus été la préoccupation première du couple, le souci de quantité a été immédiatement remplacé par un souci de qualité.

Quand le couple peut décider d'avoir un ou deux enfants, à une date qu'il choisit, il est normal qu'il demande également des garanties afin que cet enfant, voulu et programmé, soit parfaitement conforme aux désirs qu'il forme. Le diagnostic prénatal et le diagnostic pré-implantatoire s'imposent alors. Avec, non formulé mais bien présent en arrière-plan, le mythe de l'enfant non seulement « normal » mais « parfait ». Ce qui se comprend très bien : il s'agit d'un enfant sur commande. Le sujet du diagnostic prénatal, avec ses avantages, comporte aussi des dangers...

L'eugénisme est condamné

Si l'on excepte quelques exaltés ici ou là, qui se lancent dans des opérations de génocides comme on en a vu récemment au Kosovo – et à ce propos, on pourrait bien sûr reparler de Hitler et d'autres –, les conduites eugéniques sont condamnées de manière unanime. La communauté internationale condamne les génocides, et donc l'eugénisme. Encore faut-il à cet égard faire plusieurs distinguos qui ne sont pas que subtilités, et ne pas se gargariser de grands mots à tout propos.

Quand, autrefois, une grand-mère disait à sa petite-fille : « Tu ne peux pas épouser ton cousin parce que cela ferait courir à vos enfants des risques de ne pas être tout à fait conformes à la normalité », elle ne faisait qu'exprimer une sorte de tradition orale, la consanguinité pouvant entraîner des désordres physiques ou mentaux. Ce conseil était un conseil eugénique au sens vrai du terme, qui signifie chercher à donner une vie normale, à améliorer la descendance. Eu-génisme. Et on voit que l'eugénisme individuel, en quelque sorte, est accepté. Pendant leur grossesse, quand les femmes s'efforcent de ne pas fumer pour ne pas avoir un enfant trop petit et fragile, quand elles font attention à ne pas attraper la rubéole, quand elles mangent la viande bien cuite pour ne pas être infectée par le toxoplasme... leur comportement est guidé par un souci d'eugénisme individuel, et c'est heureux. Je dirais même que cet eugénisme-là est recommandé. C'est l'expression individuelle d'un eugénisme positif qui entend améliorer la qualité de l'enfant à naître.

Les moyens utilisés peuvent être discutés entre l'hygiène de la grossesse, une manipulation génétique ou le choix d'un géniteur qui porterait telle ou telle qualité particulière. Souvenons-nous d'une actualité pas si lointaine qui mettait au grand jour l'idée d'allier d'une part, les techniques d'Internet et de vente par courrier électronique et, de l'autre, le mythe de l'enfant parfait. Ce qui débouchait sur la mise en vente d'ovules de top-models à des prix défiant toute concurrence, cela pour permettre probablement d'engendrer les plus belles filles du monde à venir. Dans le même temps, on annonçait que des spermatozoïdes de *wonder boys* ou l'équivalent seraient également disponibles. À ce propos, il faut le rappeler, il y a quelques années, aux débuts de l'insémination artificielle avec sperme de donneur, aux États-Unis, un promoteur inventif avait imaginé une banque de sperme provenant de prix Nobel dans le but de garantir aux enfants une belle réussite intellectuelle. Quelques-uns d'entre eux, satisfaisant probablement ainsi leur ego, s'étaient pliés à cette exigence. Évidemment, l'entreprise n'a pas été couronnée de succès car les choses sont, par bonheur, un peu plus compliquées. Ce n'est pas parce qu'on est un prix Nobel que ce prix Nobel est inscrit dans ses spermatozoïdes ! Cela démontre d'ailleurs parfaitement que nous avons certes un patrimoine génétique, mais qu'il nous appartient de le faire fructifier. On ne peut avoir véritablement d'enfant sur commande, tel qu'on pourrait l'imaginer. J'ai eu un jour en consultation une jeune femme, mère célibataire, qui était une fort jolie personne. Elle avait dans les bras, et je mesure mes propos, un petit enfant porteur de malformations sévères. Au terme de la consultation, quand j'ai essayé de comprendre ce qui s'était passé, elle me dit : « Je n'ai vraiment pas de chance. J'ai choisi le géniteur pendant les vacances d'été, en fonction de son physique. Je voulais être sûre qu'il me ferait un enfant de qualité. » Ce qui veut dire en définitive que, soit elle s'était trompée soit, véritablement, heureusement, nos enfants nous échappent.

123

Un tel eugénisme positif ayant pour but d'améliorer l'espèce humaine devient alors extrêmement dangereux, non seulement en fonction des moyens utilisés mais aussi dès lors qu'il est érigé en système collectif, comme on le fait, dans les haras pour les chevaux, en choisissant les meilleurs étalons reproducteurs.

Plus grave encore est l'eugénisme négatif. Celui qui consiste à éliminer tout ce qui n'est pas conforme à un projet, pour sélectionner et ne garder que les éléments qui correspondent à un critère de normalité politiquement défini, socialement admis. Pour le reste... on supprime.

Le droit d'interrompre

J'ai vécu beaucoup de situations individuelles dramatiques, j'ai rencontré nombre de couples qui, après un enfant trisomique 21, ou myopathe, ou atteint de mucoviscidose, étaient désireux de vaincre le destin et la malchance. Ils formaient l'espoir d'un autre enfant mais ne se sentaient pas la force de prendre en charge un deuxième enfant également atteint. Comment, devant une demande de diagnostic prénatal, avoir le courage de la leur refuser ? On a certes toujours assez de force pour supporter les malheurs d'autrui, mais n'est-il pas nécessaire de laisser la place à la compassion ? Donc, j'ai été parmi ceux qui, avec réticence, ont accepté, au titre de la transgression, d'accompagner des couples déjà éprouvés par la survenue d'un enfant atteint d'une maladie grave et incurable. J'ai préféré la compassion à l'abandon et refusé de les mettre à la porte au nom d'une morale du refus. Après tout, c'était leur décision, en conscience.

Mais il arrive un moment où les techniques progressent tellement qu'on en arrive à réaliser un diagnostic prénatal de manière systématique pour toute femme enceinte, ne serait-ce que par l'échographie de routine, pour éviter qu'elle ne mette au monde un enfant malformé. On propose même désormais, a priori, le dépistage de la trisomie 21 pour toutes les grossesses. On a beau le préciser à chaque femme enceinte, l'information est donnée à titre individuel, l'examen proposé n'est pas obligatoire, il est de la décision individuelle de la femme d'interrompre sa grossesse, ou pas, et nous sommes bien là dans l'exercice de libertés individuelles, il n'en demeure pas moins que les décisions individuelles sont presque toujours les mêmes. La future jeune mère est formelle et répond sans hésitation : « Vous me proposez de pratiquer un examen afin de voir si l'enfant que j'attends est trisomique ? J'accepte. Si l'examen est positif, si j'attends un enfant trisomique, j'interromprai alors ma grossesse... » De fait, la somme des choix individuels équivaut au plan collectif à l'élimination de tous les trisomiques, dont la naissance dans la société n'est pas souhaitée. On est alors là dans la nuance subtile de la somme de conduites individuelles qui aboutissent de fait à des comportements collectifs validant l'idée d'eugénisme et d'une politique de santé publique à caractère eugénique.

J'ai pris pour exemple la trisomie 21, mais cette démarche est également valable pour certaines maladies de l'hémoglobine, notamment la thalassémie qui fait des ravages dans certaines îles de la Méditerranée comme la Sardaigne, Chypre... Je pense qu'il y a là un problème d'autant plus aigu que se profile à très brève échéance l'arrivée de nouvelles techniques révolutionnaires. Actuellement, faire un diagnostic prénatal dans le cadre de cette politique systématique nécessite dans un premier temps une prise de sang. En cas de risque soupçonné, il faut pratiquer une amniocentèse, c'est-à-dire, en piquant le ventre de la mère, ponctionner un peu du liquide amniotique qui entoure l'embryon et dans lequel flottent les cellules que l'on va étudier. C'est un examen délicat, qui peut se compliquer de l'interruption accidentelle de la grossesse, ce qui en soi constitue un frein. Hypocrite, certes, mais frein tout de même.

Or, on nous annonce, et les premiers essais ont déjà été pratiqués, que l'on va, par une simple prise de sang chez la mère, pouvoir trier les quelques cellules fœtales qui ont passé la barrière placentaire et sont venues dans la circulation maternelle. Dès lors, l'étude génétique du fœtus est possible sans même avoir menacé celui-ci.

Le mythe de l'enfant parfait

Une simple prise de sang que l'on filtre pour ne recueillir et trier que les cellules fœtales : à partir de là, grâce à toutes les techniques de biologie moléculaire, on peut faire l'inventaire génétique du fœtus sans l'avoir même approché ou touché. Ce qui signifie que, d'une part, le tri des cellules fœtales, de l'autre, la lecture de l'ADN, permettraient d'obtenir la liste des maladies dont le fœtus est porteur et que l'on veut éviter. « Obtenir la liste »... « éviter »... les mots adéquats ne sont pas sans évoquer des « listes » devenues fameuses en matière de tri et de sélection... On débouche rapidement sur une sélection des enfants à naître en fonction des critères biologiques.

De là à décider de faire naître ou pas les futurs diabétiques, par exemple... C'est tellement contraignant d'être diabétique ! Tellement ennuyeux d'être asthmatique, ou cancéreux... À ce stade se posent, évidemment, d'autres questions philosophiques. La première étant : est-ce que l'attitude que l'on a, au regard des enfants à naître, n'est pas à considérer comme la projection du regard que l'on porte sur les handicapés ? Sur les plus faibles ? Sur les plus démunis ?

Si d'aucuns décident qu'il faut éliminer les trisomiques 21, et qu'il en naisse malgré tout, quel regard la société va-t-elle porter sur eux ? Ils seront alors porteurs de non plus une, mais deux anomalies. L'anomalie trisomique à laquelle il faudrait ajouter l'anomalie de leur naissance. Ces enfants n'étaient pas souhaités... voilà qu'ils sont désapprouvés ! On pourrait d'ailleurs parfaitement imaginer une deuxième dérive, une dérive sociétale. Les cotisants et autres personnes imposables s'élevant : « On paye pour le diagnostic prénatal, soit. Mais si un couple décide de garder son enfant trisomique en toute connaissance de cause, qu'il l'assume. On ne veut pas payer deux fois, une fois pour l'examen, une autre pour élever cet enfant handicapé qui n'aurait pas dû naître. » Ce serait grave, très grave, mais ce n'est pas impossible si l'on en juge par la rapidité d'évolution des mentalités.

En pratiquant cette politique, on verrait vite se profiler, au service du mythe de l'enfant parfait, la pratique de l'enfant sur commande. Mais qui réalise qu'on accroît par là, et de façon dramatique, la responsabilité des parents ? Car, il ne faut pas se leurrer, là encore, la notion de liberté s'accompagne d'une notion de responsabilité. Ainsi, une femme décide librement d'avoir son enfant à une date donnée. Imaginons que, pendant sa grossesse, elle ait la grippe, et l'enfant naît porteur d'une déficience mentale qui laisse alors planer un doute quant au rôle de l'infection grippale ou virale contractée lors de la grossesse. Cette femme n'a certes pas choisi d'avoir la grippe, mais elle a choisi la date, alors qu'à une autre saison elle n'aurait sans doute pas eu la grippe...

Prenons maintenant le cas de la femme enceinte qui refuse un diagnostic prénatal et accouche d'un enfant anormal ou malformé. L'acceptabilité de son libre choix, son refus de l'examen, s'accompagnent d'une responsabilité terrible vis-à-vis de cet enfant qui pourra, plus tard, lui reprocher de l'avoir laissé naître.

Toutes ces précautions ne sont pas sans effets pervers, il faut le souligner. En le médicalisant chaque jour davantage, on modifie complètement cet état on ne peut plus naturel qu'est la grossesse. Et une période de la vie du couple qui devrait être une période de joie, d'épanouissement, d'attente bienheureuse, se transforme en maladie, en période pathologique, voire anxiogène. Dès que la femme découvre sa grossesse, surgit un danger, une menace. On la prévient : « Attention que ce ne soit pas un trisomique. » On va faire une prise de sang qui indique un risque potentiel de trisomie 21. On décide alors de pratiquer une amniocentèse, laquelle est normale, mais se complique d'un avortement accidentel ! Il m'est ainsi arrivé de me trouver face à une femme qui n'avait rien

127

demandé, qui attendait un enfant normal et qui avait avorté du fait de l'amniocentèse, d'un excès de précautions, résultat d'un dosage qui était un faux positif, ce qui est plus fréquent qu'on ne le suppose. Faut-il aller si loin ? Je suis parfois révolté par la médicalisation de l'existence. De la conception à la mort, la médecine envahit tout ! De nos alcôves à nos assiettes, elle est partout !

Pas de choix idéal

Il y a matière à réfléchir, d'autant qu'on est dans un système totalement pervers auquel on peut difficilement échapper, ne serait-ce qu'au regard d'éventuelles conséquences judiciaires. Car si un médecin ne propose pas l'examen, s'il ne propose pas le diagnostic prénatal en fonction de cet examen, et que la femme met au monde un enfant trisomique, elle peut se retourner vers le médecin, invoquant l'obligation de moyens : « Vous n'avez pas mis en œuvre tous les moyens pour que j'évite cette naissance. » Le couple peut porter plainte pour « privation de choix » puisque, n'ayant pas été informé du diagnostic, il n'a pu choisir d'interrompre la grossesse.

En revanche, la femme ne se retournera pas contre le médecin en cas d'avortement accidentel suite à l'amniocentèse, parce qu'il lui aura fait signer des papiers disant qu'elle accepte le risque, même s'il est vrai que dans l'urgence, beaucoup de femmes ne saisissent pas la portée de leur choix. Et nous voici alors dans des situations très particulières et pour le moins inédites.

Le taux des enfants anormaux à la naissance est de 3 p. 100. Quant à la fréquence de la trisomie 21, le risque varie avec l'âge, il est en moyenne de 1 p. 100 si la mère a quarante ans. On peut, avec raison, considérer que c'est relativement faible, cela dépend du point de vue. Quand, voulant rassurer une future mère, un médecin lui dit que son risque est peu élevé, environ 1 p. 100, il faut savoir que la probabilité n'a aucune signification à titre individuel, aucune signification aux yeux de celle dont l'enfant sera trisomique. Combien de fois me suis-je entendu dire : « Vous estimez minime un risque à 1 p. 100, ce n'est certes pas beaucoup. Mais si jamais j'accouchais d'un enfant trisomique, pour moi le risque serait de 100 p. 100. »

On est là dans l'exemple typique des nouvelles connaissances génétiques, des nouveaux choix à faire, des nouvelles libertés et des nouvelles responsabilités. Étant entendu qu'on prend des responsabilités non seulement au regard de soi, mais au regard de l'enfant qui va naître. S'il est malformé, une fois en âge de comprendre et d'aller en justice lui-même, il peut très bien se retourner contre ses parents : « Il y avait une possibilité de diagnostic prénatal, pourquoi ne l'avez-vous pas fait ? On aurait vu que je n'étais pas normal et je ne serais pas là. Vous êtes responsables de mes souffrances, délibérément qui plus est. » L'exemple américain de tels cas qui ont donné lieu à des procès d'adultes malformés contre leurs propres parents doit être médité.

Ce n'est pas simple, il n'y a pas un choix qui soit idéal, ni même facile. Plus on avance dans ces problèmes, plus on se rend compte que la société ne doit surtout pas ériger en règle absolue, en bien ou en mal, telle attitude ou tel comportement. Si elle le faisait, à un moment ou à un autre, en validant un comportement, ce serait grave, car ceux qui ne se rallieraient pas à ce comportement seraient alors en marge. Il est évident qu'un couple qui décide d'accepter, de garder son enfant handicapé, ne peut pas se trouver montré du doigt. Il doit au contraire être soutenu afin de pouvoir accueillir cet enfant avec amour, ainsi que cela se faisait autrefois, quand il n'y avait pas de diagnostic prénatal, pas de bilan génétique. Quand on ne savait pas, « avant »...

Notre monde a changé

Hier, l'enfant était un don, aujourd'hui, il est un dû. Et on le veut en parfait état « de marche », du moins dans nos pays industrialisés. Au début des années 70, alors qu'on s'interrogeait encore sur l'opportunité du diagnostic prénatal, j'ai eu une conversation sur le sujet avec un pédiatre venu passer quelques semaines dans mon service car il s'intéressait à la génétique. Il exerçait au Chili, pays encore en voie de développement à l'époque, je lui ai demandé : « Que fait-on, chez vous, avec les trisomiques 21 ? » Il m'a alors regardé avec un petit sourire : « Nous n'avons pas ce genre de problème. Lorsque ces grossesses arrivent à terme et que les enfants naissent, ce qui n'est pas toujours le cas, ils meurent peu de temps après, d'infection, de malformation, de diarrhée, bref... ils meurent de pathologies intercurrentes que nous ne pouvons prendre en charge, car nous ne sommes pas suffisamment équipés. »

Quand il naît, en France, un enfant trisomique avec une malformation cardiaque grave, que devons-nous faire ? Le laisser mourir de sa malformation cardiaque, comme ce serait le cas dans un pays en voie de développement n'ayant pas de service de chirurgie cardiaque infantile, suivant ainsi le cadre de la « sélection naturelle » ? Ou l'acheminer immédiatement en soins intensifs et sonner le branle-bas de combat des équipes de circulation extra-corporelle et de chirurgie à cœur ouvert ?

Si on ne le fait pas, cela signifie clairement que l'on porte une appréciation sur la qualité de la vie qui est entre nos mains et, par anticipation, un jugement sur la qualité de cette vie. Vaut-elle la peine d'être vécue ou pas ?

En faisant tout pour que cet enfant vive, grâce à la qualité des soins intensifs et des techniques médicales ou chirurgicales, on maintient en vie des enfants qui ne demandent spontanément qu'à s'éteindre. On combat le processus de la sélection naturelle. Il devient alors paradoxal que, dans des pays très développés sur le plan médical, il y ait davantage d'enfants handicapés que dans les pays pauvres. Le diagnostic prénatal peut à cet égard être compris comme le substitut de la sélection naturelle empêchée. Cela pose un vrai problème que je ne sais pas régler, que la loi ne peut pas régler, et qui m'amène à revenir sur le droit de savoir.

Comment imaginer un seul instant qu'une femme qui vient de mettre au monde un enfant trisomique, c'est-à-dire une femme déjà fatiguée par son accouchement, en état de fragilité psychologique et physique, soit à même, avec le père, qui est tout aussi perturbé, de prendre dans l'instant la décision du choix à faire en ayant la conscience libre et éclairée ? On opère, on n'opère pas ? Il s'agit là d'une difficulté extrême.

Je ne suis pas certain que le médecin, dans certains cas très particuliers, il est vrai, ne doive pas prendre une décision en son âme et conscience. C'est-à-dire de s'abstenir de tout geste thérapeutique plutôt que d'aller décharger sa responsabilité sur ce couple qui s'enfonce dans le désarroi et ne peut mesurer la portée de la décision qu'il va prendre. Quelle qu'elle soit. D'aucuns diront que j'ai tort de céder à la tentation d'un paternalisme dépassé. Ils ont peut-être raison. Je le fais par humanité. Peut-on parler d'excès d'humanité ?

Impassible, détaché, froid dans son objectivité, le médecin peut exprimer les deux attitudes possibles. Soit « il faut opérer », mais si le couple accepte, il peut en avoir des regrets plus tard devant les difficultés qu'il aura à élever cet enfant et les perturbations que cela créera au sein de la famille. Ou alors, il va « renoncer » à tout, c'est-à-dire à cet enfant. Mais il ouvre alors la porte au sentiment de culpabilité, tenaillé par un regret irrémédiable, définitif : « On ne lui a pas donné toutes ses chances. » Il est des choix cruels, impossibles, inhumains.

Là encore, on voit que les progrès de la médecine et de la chirurgie, sous couvert de nouvelles libertés, entraînent de nouvelles responsabilités qui sont lourdes. Il s'agit d'un vrai choix de société.

Comment mettre les consciences au niveau de ces décisions nouvelles ? Je ne suis pas contre la liberté des uns de décider face au devoir des autres de respecter. Mais qui a, aujourd'hui, le recul, la compréhension, les appuis, les guides nécessaires pour se déterminer face à de telles situations ?

C'est la raison de mon hésitation. Elle ne me concerne d'ailleurs pas personnellement, c'est une hésitation de société. À titre individuel, les citoyens veulent appréhender la vie avec davantage de libertés, toutes les libertés, tous les droits possibles, car la liberté s'exprime en matière de droit. Mais, face à cela, il y a aussi des devoirs, et je ne suis pas persuadé que les deux équations, les deux termes, libertés et responsabilités, droits et devoirs, soient clairement situés.

La médecine prédictive

Grave question. Réponse lourde de conséquences qui m'amène tout naturellement à aborder le problème de la médecine prédictive. C'est incontestablement un très grand progrès quand il s'agit d'identifier très tôt d'éventuelles anomalies génétiques, débouchant sur une prise en charge préventive et thérapeutique, voire sur une orientation professionnelle adaptée. Ainsi, on décèle chez un enfant un gène le prédisposant à la rétinite pigmentaire qui va le rendre aveugle avant qu'il atteigne la trentaine. On va alors l'orienter vers un métier qu'il pourra continuer à pratiquer en étant aveugle, ce qui sauve sa place dans la société et lui permet de vivre décemment. Il en va de même lorsqu'on identifie chez un individu des gènes le prédisposant à l'hypertension, à l'obésité ou encore à une pathologie cardio-vasculaire... On ne le guérit pas, mais la prescription de mesures hygiéno-diététiques devrait lui permettre d'éviter ou de reculer la survenue de ces accidents. C'est une bonne chose.

De la même façon, identifier un gène prédisposant soit au cancer du sein, soit au cancer rectocolique, permet de faire des analyses régulières de dépistage et, dès l'apparition de la plus petite tumeur, intervenir de façon à éviter le développement du processus. Et on ne peut que se féliciter de ces projections en matière médicale, car elles débouchent sur une amélioration de la vie.

En revanche, on voit bien les dangers qu'il y a à identifier par avance le patrimoine génétique des personnes, pour de multiples raisons. À partir du moment où on identifie chez un sujet le gène d'une maladie à venir, on le conditionne, on le fait entrer dans cette maladie avant même qu'il n'en ait le moindre signe, qu'il ne se sente malade. On trace son avenir, on enferme son destin comme s'il était prisonnier de ses gènes et, avant même que son patrimoine génétique ne se soit exprimé, le voici différent, mis à part.

D'autre part, cette connaissance génétique qui ne manque pas de produire des effets pervers chez la personne concernée peut avoir des effets plus pervers encore à partir du moment où elle est rendue accessible à des tiers, assureurs, employeurs, banquiers... Les compagnies d'assurances pourraient être tentées de calculer le coût de la police en fonction du risque génétique encouru par le client, les employeurs enclins à embaucher le candidat qui sera le moins prédisposé à l'absentéisme en raison d'accidents de santé. Quant aux banquiers, ils ne prêteront qu'à ceux dont la bonne forme physique et la survie seront assurées le temps nécessaire au remboursement du prêt.

On entre, là encore, dans un champ nouveau. On ligote le destin des gens avec leur fil d'ADN, on les emprisonne dans un déterminisme génétique, les privant en définitive de la liberté qui est en principe la leur, de devenir ce qu'ils sont. Le sujet est d'importance, qui souligne un changement de civilisation. Depuis la Révolution française et singulièrement au xxe siècle, la société tente de lutter contre les inégalités sociales. C'est tout le sens des retraites, de l'assurance maladie et des pensions, par exemple. Je suis, pour ma part, convaincu que le xxie siècle sera essentiellement le siècle de la lutte contre les inégalités biologiques. Il est clair, à partir du moment où elles sont connues, qu'elles conduisent à se poser la question de l'égalité et de l'équité de notre société vis-à-vis des personnes.

On peut prévoir des correctifs, on peut tenter de faire en sorte que celui qui a de mauvais gènes ne soit pas pénalisé, sur le plan de son assurance, sur le plan de ses enfants, de ses prêts, de ses retraites... En réalité, on comprend bien qu'on va vers des conflits et que les solutions seront difficiles à trouver et à mettre en action.

Je n'hésite pas à le souligner à nouveau, nous sommes à un de ces moments rares, intenses, comme l'homme en a déjà vécus avec les découvertes de Copernic, de Galilée, de Darwin. Après la transplantation d'organes, la maîtrise de la reproduction, la fécondation *in vitro*, nous sommes à l'instant où l'humanité aborde la maîtrise de la génétique. C'est absolument fabuleux mais, il ne faut jamais l'oublier, c'est une arme à double tranchant. Terrible. C'est pourquoi mieux vaut avoir conscience du danger. Que faire ?

Est-ce qu'il ne vous est jamais arrivé, devant le comportement insouciant d'un être jeune, de vous faire cette réflexion : « Il est inconscient » ? On ne lui reproche pas ce qu'il fait, mais plutôt de ne pas analyser la portée de son acte. Il est préférable, à mon sens, d'avoir conscience du danger, conscience des risques, conscience des perversions et des tentations afin de mieux y répondre. Je ne pense pas que ce serait à la gloire de la conscience de l'homme que de tout lui interdire de ces nouvelles avancées, car ce serait le priver de l'expression même de sa conscience. Si, d'emblée, on pose : « C'est interdit », « Il ne faut pas le faire », que reste-t-il à l'homme pour exercer sa prérogative d'homme, son libre arbitre, son jugement en conscience ?

J'ai fait la liste des avancées, j'ai fait la liste des dangers ; je pense, j'en ai même la certitude, que d'une manière ponctuelle, ici ou là, il y aura des dérapages. Mais je préfère, plutôt qu'occulter les progrès et leurs dangers, que l'homme en soit conscient, que l'on éduque sa conscience, qu'on l'accompagne dans sa progression pour lui permettre de garder le cap de son humanité.

8

EN QUÊTE D'IDENTITÉ

L' accouchement sous X est une question tout particulièrement cruelle car elle découle du refus d'une mère d'assumer son propre enfant, drame auquel on ne peut jamais apporter de bonne solution.

Quoi qu'on fasse, on ne peut pas transformer un drame en bonheur. Quel que soit son âge, quel que soit le contexte, l'enfant qui apprendra qu'il a fait l'objet d'un abandon le vivra comme une atteinte à lui-même et à son existence. Deux possibilités s'offrent alors à lui. Soit, se murant dans le silence, il prendra le parti d'ignorer, parce qu'il n'est pas possible d'oublier ce qui s'est passé à un moment aussi décisif que la naissance. Soit il recherchera son origine, avec toutes les démarches et l'obstination que cela implique. Mais quand bien même il arriverait à ses fins, quand bien même il retrouverait sa mère biologique, il est évident que, sauf cas très exceptionnels, la confrontation ne sera pas libératrice, il manquera toujours l'explication rationnelle. Il est impossible d'aborder la question de l'accouchement sous X sans avoir posé ce point majeur.

Qu'on l'appelle accouchement anonyme, abandon d'enfant, accouchement sous X, aussi loin qu'on remonte dans le temps, des femmes ont accouché dans la clandestinité et ont abandonné leur enfant, dans les tours des couvents, sur le perron des hospices ou sous les porches des églises. On ne va pas changer cette situation sécu-

135

laire, et probablement millénaire, en changeant les lois. Il y a toujours eu, il y aura toujours des femmes qui refuseront d'assumer leur enfant et souhaiteront garder l'anonymat.

Il faut cependant relativiser les choses car le nombre d'accouchements sous X par an en France est estimé à environ 600, ce qui reste modeste, comparé aux 740 000 naissances. C'est pourquoi il faut accorder à cette question une valeur plutôt symbolique, comme on a pu le faire pour l'avortement, par exemple. L'avortement était un fait de l'histoire que l'on ne pouvait pas continuer de nier, qu'il fallait prendre en compte.

Les droits...

Lorsqu'on aborde le problème de l'accouchement sous X, on ne peut pas faire l'économie d'un conflit de droits, et c'est l'une des raisons pour lesquelles il ne peut y avoir de solution satisfaisante. Il y a d'un côté le droit de la femme, de l'autre le droit de l'enfant, et ces deux droits sont obligatoirement en contradiction.

Le droit de la femme se décline en trois points, trois choix successifs qu'elle se doit d'exprimer. Le premier, poursuivre ou non sa grossesse, découle directement du droit à l'avortement.

Le deuxième, les conditions de son accouchement, lui appartient totalement. Imaginons une femme, chez elle au moment où surviennent les premières douleurs. Si elle choisit d'accoucher là, dans son lit, qui peut l'en empêcher ? À l'inverse, elle peut, si elle le décide, accoucher dans une maternité, dans les meilleures conditions pour elle et l'enfant.

Troisième point, l'enfant étant né, qui pourrait, à partir du moment où elle le confie à une structure, aller contre le droit d'une femme de décider de l'élever ou de l'abandonner, d'accepter de livrer son identité ou non ? Nul ne peut empêcher ce comportement libre, même s'il n'est pas toujours responsable, mais qui n'est pas un abandon

d'enfant dans un lieu public, lequel est totalement condamnable et illégal.

Face à ces droits de la femme, il y a ceux de l'enfant. Il
n'a pas demandé à exister, mais à partir du moment où il
existe, où on lui a donné la vie, il a le droit de savoir d'où
il vient, qui il est, qui est sa mère, si possible qui est son
père, et aussi quelle est son histoire, quelles sont ses
racines, ses références identitaires. À partir du moment
où il le désire, il a le droit de savoir, ce que nul ne peut
lui contester car il est très difficile de se construire sur du
vide.

La contrainte est néfaste

La complexité législative consiste à concilier ces deux
droits qui s'opposent avec la même force, celui de la mère
ayant un avantage considérable sur celui de l'enfant. Il lui
est antérieur et conditionne son comportement. Si elle
pense qu'on risque de lui imposer de donner son nom
lorsqu'elle se présentera à la maternité pour accoucher,
elle ne viendra pas. Elle préférera accoucher dans des
conditions mauvaises et néfastes sur le plan sanitaire et
psychologique et pour elle et pour l'enfant. Elle pourrait
même le supprimer ou l'abandonner clandestinement.
Autrement dit, une contrainte exercée sur la femme risque de provoquer un avortement, un infanticide ou
encore de placer les enfants dans une situation difficile
au regard d'une adoption plus tardive, parce qu'ils n'auront pas été confiés à une structure mais déposés dans
un sac plastique, sur un banc, dans un square... De ce
fait, l'antériorité du droit de la femme prévaut sur le droit
de l'enfant qui, en théorie, est aussi fort.

Réalité de toujours, reconnue par le gouvernement de
Vichy, l'accouchement sous X n'a cependant été intégré
dans le code civil qu'en 1993. En clair, ceux qui, aujour-
d'hui adultes, se regroupent dans des associations mili-

137

tantes pour réclamer la suppression de l'accouchement sous X parce qu'ils veulent avoir accès à leurs origines, ne sont pas soumis à cette législation. Mais ils saisissent cette disposition législative pour justifier le combat qu'ils mènent contre cette fatalité qu'est leur abandon et la difficulté de rompre cette chape de silence profond, la chape du secret. Ils se refusent à être des « enfants de personne sur le plan biologique », selon la formule choc de Geneviève Delaisi de Perceval.

À partir du moment où on accepte l'accouchement sous X, il faut pousser plus loin la réflexion et l'organiser en créant des structures d'accueil pour ces femmes en détresse qui pour la plupart ont une attitude pathologique. À commencer par un déni de grossesse tel qu'elles sont parfois enceintes de six mois sans qu'on puisse même le soupçonner. Elles arrivent à modifier leur attitude, leur corps, pour cacher « ça », se le cacher à elles-mêmes, incapables qu'elles sont de prendre une décision. C'est pourquoi il est important de leur proposer des structures d'accueil où elles peuvent avoir des entretiens psychologiques, rencontrer des personnes susceptibles de leur proposer un accompagnement psychosocial et parfois de les amener à changer d'avis.

Savoir d'où on vient

Si malgré tout, elles ne veulent absolument pas de cet enfant, ce qui est le cas notamment d'un certain nombre de jeunes filles, d'adolescentes, de petites Beurs de la deuxième génération, on l'a vu à propos de l'IVG, il n'en demeure pas moins que la fin de la grossesse et l'accouchement vont alors se passer dans des conditions sanitaires et psychologiques les meilleures possibles. L'enfant va être mis au monde et très vite il sera confié en vue d'une adoption. En outre, on aura invité la mère, en lui faisant comprendre l'importance que cela aura pour lui plus tard, à livrer des informations certes non identifiantes, empêchant de remonter jusqu'à elle, mais permettant à l'enfant de savoir d'où sa mère était originaire, de quel genre de famille elle était issue et peut-être par là, la raison de son attitude et de l'abandon. Ce qui est toujours très important.

Or, si on interdit l'accouchement sous X, on ferme également l'accès à ces structures. Ces femmes accoucheront dans la clandestinité et ne livreront rien. Lorsque j'ai préparé mon rapport pour le gouvernement sur l'adoption en 1996, j'ai rencontré beaucoup de gens, j'ai été confronté à ces situations. Comment oublier le témoignage de cette femme d'un certain âge – elle avait dépassé la soixantaine – qui m'a dit de façon poignante combien il était important d'avoir des informations. « Quand j'ai su que j'avais été abandonnée, j'en ai voulu terriblement à ma mère biologique. Je l'ai haïe et j'ai vécu avec la haine de cette femme jusqu'à l'âge de vingt ans où, à force de démarches pour essayer de savoir, j'ai fini par apprendre qu'elle était morte en me donnant la vie. En fait, c'étaient ses parents, mes grands-parents, qui m'avaient abandonnée. Ce qui a changé complètement mon regard sur cette mère qui m'aurait probablement, elle, gardée et assumée. Mais, la pauvre, elle est morte. Le savoir m'a libérée. »

Le secret et l'anonymat

Me souvenant de ce témoignage bouleversant, j'ai introduit dans la loi sur l'adoption toute une série de dispositions pour qu'on essaie de communiquer à l'enfant, si un jour il le désirait, des éléments non identifiants lui permettant de comprendre, tout en préservant l'anonymat de la femme qui l'exige. Quand une mère se présente à la maternité où elle précise : « J'ai un enfant à mettre au monde, mais je ne veux dire ni mon prénom, ni mon nom, ni ma date de naissance », peut-on la renvoyer ou la contraindre ? Dans ces conditions, il est pratiquement impossible de jamais remonter à la source.

Dans d'autres cas, la femme accepte de donner son identité, mais exige le secret. Il est clair néanmoins que cette situation ouvre, éventuellement, après bien des recherches, la possibilité de savoir un jour. Comme tout secret, il peut être forcé !

On a envisagé la création d'une structure de médiation où seraient conservés tous les secrets qui pourraient être levés en cas de demande conjointe de la mère et de l'enfant, désireux de se retrouver. On éviterait ainsi que le secret ne soit définitif et impossible à surmonter, sous réserve toutefois que les deux le veuillent, ce qui suppose beaucoup de conditions réunies.

En fait, la question se résume à deux situations : le secret ou l'anonymat. Pour ce qui est du premier, on peut éventuellement un jour le lever. Rien ne peut percer le second s'il est maintenu.

De ce que j'ai pu écouter, connaître, entendre, il m'apparaît que la majorité des enfants qui ont été adoptés, c'est-à-dire qui ont trouvé une famille adoptive, ont fait le transfert. Ils ont enfoui ou évacué le besoin de retrouver leur mère biologique, ils ont fait le choix de tourner la page. Avoir vécu ce drame de l'abandon ne les empêche pas d'être très heureux. Ils font passer le social et l'affectif bien avant le biologique.

Faire son choix

Du fait du développement de l'adoption internationale, de plus en plus d'enfants abandonnés et adoptés portent sur le visage les signes de leurs origines. Tout le monde peut voir qu'ils sont nés en Amérique du Sud, en Afrique, en Asie, ce qui veut dire que le fait de cacher à un enfant qu'il a été adopté ne peut qu'être profondément préjudiciable. Il lui appartient de savoir et de faire ensuite son libre choix ; le plus souvent, il choisit de considérer que sa vraie famille est sa famille d'accueil.

Malgré cela, un certain nombre d'enfants n'arrivent pas à faire le deuil de cet abandon. Ils rentrent alors dans une logique frénétique de recherche qui crée un désarroi dans la famille d'accueil. Elle s'est investie, ses membres se sont installés dans leur fonction de parents à part entière, les voici non pas contestés, mais déstabilisés.

Les familles adoptantes ont évolué. Elles sont, pour la plupart, prêtes à assumer, donc à militer pour qu'il n'y ait pas de secret sur la vérité de l'adoption, dont l'enfant doit être informé dès son plus jeune âge. On lui parle de façon telle qu'il comprenne, que cela s'insinue en lui, soit partie intégrante de sa vie... Il est loin le temps où celui qui avait été abandonné l'apprenait brutalement, souvent à la veille de son mariage, alors qu'il s'apprêtait lui-même à fonder une famille. Coup de théâtre, ce « Tu as été adopté » ajoutait un second acte dramatique au premier.

Un *dénouement qui n'apaise pas*

Abandonné... Certains acceptent. D'autres cherchent, cherchent, plus et plus encore... J'ai entendu des témoignages bouleversants d'adultes ayant dépassé la trentaine. Pendant des années, ils ont fait le siège de la DASS, se sont plongés dans des dossiers, jusqu'à trouver une adresse au terme de recherches acharnées ; en arrivant enfin devant la porte, ils renonçaient à sonner et repartaient. D'autres ont vécu pour ce seul instant, dans l'espoir de cette rencontre. Ils n'avaient que ce désir, retrouver, mais le jour où ils retrouvent, ils ne sont pas pour autant satisfaits. Que faire, que dire, soudain face à cette inconnue qui a souvent une vie bien organisée, d'autres enfants ? Elle a tourné une page, oublié dans la mesure du possible les années difficiles de son adolescence, et voici que soudain un adulte qu'elle ne connaît pas, dont elle a voulu gommer jusqu'à l'existence, vient les lui rappeler. Ils ne savent même pas comment s'appeler. Dire « maman » à une inconnue ? C'est impossible. Quant à elle, elle ne sait même plus le prénom de son enfant. Ce dénouement bouleverse les existences sans apaiser pour autant.

Il est toujours difficile de traiter de ces questions auxquelles on ne sait quelles solutions apporter. Député, j'avais souhaité que l'accouchement sous X soit maintenu, parce que je pensais que c'était le droit des femmes. Je reste persuadé que c'est aussi l'intérêt de l'enfant que de venir au monde dans les meilleures conditions possibles étant donné le contexte, et d'être immédiatement adopté. Je comprends néanmoins que la question soit à nouveau en discussion. On envisage de supprimer du code civil l'accouchement sous X pour éviter qu'il soit maintenu à la hauteur d'une institution, au titre du symbole. Par un jeu hypocrite, il figurerait dans le code de la santé et de la famille pour qu'on puisse conserver des structures d'accueil et ne pas rejeter dans l'abandon des femmes véritablement en détresse. Voici une demi-solution qui ne fait pas avancer beaucoup le problème.

Le rôle du père

Cela pose en outre un problème majeur qu'on évoque peu, c'est le rôle du père qui, en cas d'accouchement sous X, est généralement absent. Parce que c'est, bien souvent, une conception résultant des amours fugitives de très jeunes gens, l'un et l'autre mineurs, à moins que, et c'est encore plus dramatique, cette conception ne soit le résultat d'un inceste ou d'un viol. Vis-à-vis de ces situations, on ne peut qu'être très humble, très modeste, car il n'y a pas de solution à apporter, à proposer. Personnellement, je serais là encore tenté de dire que c'est en amont qu'il faut informer, travailler, faire une véritable éducation sexuelle, tout en maintenant l'accouchement sous X et les structures d'accueil qui l'accompagnent.

Ainsi, une mère qui est dans la détresse peut accoucher dans de bonnes conditions. Elle montre qu'abandonner son enfant la déchire, mais qu'elle ne peut pas faire autrement. Même si elle ne veut rien laisser qui puisse permettre de jamais la retrouver, elle fait le geste de donner la vie dans de bonnes conditions avant de s'effacer. Mieux, en accouchant sous X, elle permet à l'enfant d'être immédiatement adopté, sans enquête ni ces recherches préalables qui entraînent encore des délais supplémentaires.

Les tyrannies de la biologie

J'ajouterai à ce propos que je suis profondément préoccupé de la place de plus en plus privilégiée qui est accordée à la biologie, à la génétique et aux liens de sang. Nous voici dans un monde où tous les repères sociaux ont disparu pour laisser la place aux seuls repères de biologie, en venant presque à privilégier le droit du sang au droit issu de la société. On est là dans une contradiction totale par rapport à la nationalité, par exemple, alors que la France s'oppose au droit du sang pour faciliter le droit du sol. Toutes proportions gardées, bien entendu, on n'est pas très éloigné de la préoccupation identitaire, biologique, de ceux qui disent que hors de la biologie il n'est point d'identité, point de définition précise de l'homme, du groupe humain.

Si on poussait le raisonnement, il faudrait revoir le problème de l'anonymat du don de gamètes, spermatozoïdes ou ovules, ce qui remettrait en cause le principe même de la procréation médicalement assistée. Tous les donneurs veulent garder leur identité secrète pour ne pas avoir à assumer, ne serait-ce qu'à titre symbolique, une future paternité ! Les enfants nés de cette technique anonyme sont dans une situation comparable à celle des enfants nés sous X au regard de la biologie. Ce qui diffère, c'est qu'ils ont été voulus, et pas abandonnés.

Il faut avoir l'humilité de le comprendre, on peut tous les dix ans, ou même plus souvent, changer les règles, jamais on ne pourra transformer ce drame initial qu'est l'abandon d'un enfant en un bonheur parfait qui consisterait à naître entre son père et sa mère qui, mieux, s'aiment et sont encore ensemble des années plus tard.

Je ne fais qu'énoncer un poncif, qu'il faut cependant remettre au goût du jour ! D'autant qu'en poussant la démarche à l'extrême, on ne voit pas pourquoi on refuserait l'accès aux études génétiques à tous les enfants qui voudraient s'assurer de la réalité de leur origine biologique. Le droit de savoir ne peut pas se diviser. Je laisse imaginer les conséquences éventuelles et chacun à sa propre méditation.

9

LA PERSONNE ET LA COLLECTIVITÉ

Il faut trouver un juste équilibre entre l'intérêt de la personne et celui de la collectivité. On doit tenir compte de la personne et de ses difficultés, mais on ne peut pas systématiquement solliciter la collectivité. Or, la liberté de chacun vient buter sur les devoirs qu'il a au regard de cette notion relativement récente : la solidarité, qui crée de nouvelles obligations envers l'individu. La collectivité a-t-elle toujours envie de les assumer sans même qu'on l'informe ? Ainsi, elle a le droit de savoir si le comportement de ceux pour lesquels elle paie est conforme au souci d'éviter les risques, d'éviter de gaspiller, de coûter cher. Qu'il lève le doigt, celui qui n'a jamais dit à son enfant qu'il estime en passe de faire une bêtise : « Tu fais ce que tu veux, mais moi je ne paierai pas ! »

La société pourrait même se trouver dans la situation de dire : « Nous sommes tous responsables les uns des autres, nous l'acceptons. Mais nous estimons que chacun est d'abord responsable de lui-même. » Ainsi les fumeurs qui auront une prédisposition au cancer des voies aériennes supérieures, de la langue, du larynx, des poumons... s'entendront dire : « Nous refusons de payer pour les risques que le tabac ne manque pas d'occasionner et que vous prenez en toute liberté. » Un discours qui ne va pas dans le sens de la solidarité, mais qu'on ne peut pas absolument condamner lorsque l'on sait que le tabagisme est, chaque année, la cause de 4 millions de décès dans le monde, dont 60 000 en France.

145

Mêmes risques avec l'alcool, dangereux dès que la consommation en devient excessive dans la durée, provoquant des accidents de santé dramatiques. La mortalité due à l'alcoolisme est tellement élevée que peu osent en parler, d'autant que derrière agissent les lobbies que l'on sait.

Quant aux psychotropes, hypnotiques, somnifères, tranquillisants et autres, ils sont consommés en France avec une fréquence et dans des proportions bien supérieures à d'autres pays. Cela crée des dépendances, et nous voici très vite dans le cadre sinon de drogues, au sens habituel du terme, du moins de substances qui correspondent en tout point à la définition qu'on en donne. Or, elles sont prescrites par les médecins et remboursées par la sécurité sociale !

Tabac, alcool, psychotropes sont les « drogues » sur lesquelles l'État prélève son impôt. Le cannabis, quant à lui, paraît presque inoffensif, ce joint dont la nuisance sur la santé est toujours débattue. Il continue malgré tout d'être montré du doigt et tombe sous le coup de la loi de 1970. Considéré comme drogué, le fumeur de joint est susceptible d'être embastillé. Il est vrai – il rejoint en cela le tabac – que l'usage du cannabis peut prédisposer à aller plus loin. Celui qui fume une simple cigarette a déjà fait le premier pas vers une cigarette de hasch, celui qui fume du hasch franchit un deuxième pas qui l'amène à « sniffer », et donc le rapproche de la prise de cocaïne et de la toxicomanie intraveineuse. C'est pourquoi, dans l'absolu, il faut lutter contre la consommation du cannabis. Et une société qui prêche la liberté et la responsabilité ne peut pas accepter de voir des êtres humains se priver volontairement de leur liberté et devenir dépendants en toute connaissance de cause. Elle a le droit d'intervention, le droit de dire « Non », et si on pousse la logique à l'extrême, il faut reconsidérer notre politique de santé publique au regard du tabac et de l'alcool. Ce qui veut dire, si on s'inscrit dans une logique scientifique, que condamner la consommation du cannabis conduit à condamner également celle du tabac et de l'alcool. Nous

voici confrontés à la frontière qui sépare les libertés individuelles des responsabilités collectives.

Naturellement, les problèmes peuvent être envisagés
sous un autre angle. Dans une société qui se pose des
questions au regard de la liberté individuelle, on pourrait
tout aussi bien dire qu'à partir du moment où on avertit
les gens des risques qu'ils prennent, on les laisse boire
et on les laisse fumer, à eux d'être responsables. De
même pour le hasch. C'est lâche, mais on laisse faire. De
quel droit va-t-on pénaliser ceux qui fument un joint chez
eux ? J'exclus évidemment de la discussion tous les
aspects liés à l'argent sale, au trafic, à la mafia ou la délinquance. C'est un autre problème, dont l'aspect délictueux
et condamnable ne se discute pas.

Déjà un conflit se dessine entre la revendication de
chacun à vivre librement et en toute responsabilité et les
exigences d'une solidarité collective qui cherche à déga-
ger des priorités. La première étant le bon usage des
fonds publics, dont la collectivité est le premier « avitail-
leur ». À l'aube d'une nouvelle civilisation, les changements mettent un certain temps à entrer dans les mœurs
parce qu'on a des freins économiques, historiques également. Les freins de la tradition. Mais de nouveaux
champs de libertés dont découlent de nouveaux champs
de responsabilités s'ouvrent à nous. Dans le cadre des
libertés et des responsabilités individuelles au regard de
la collectivité, j'ai soulevé les problèmes que pose la consommation du tabac, de l'alcool, des psychotropes, de la
drogue... Dans ce même cadre qui met face à face individu
et collectivité, je voudrais aborder – et je veux être très
prudent, dans ce que je vais exprimer, parce que je sais
combien le sujet est délicat – la sexualité.

J'ai déjà parlé des réactions de la collectivité lorsqu'il
s'agit de faire face au coût de la contraception, à celui de
l'avortement également. Je veux maintenant parler du
Pacs, sujet que je connais bien pour avoir été un des ora-
teurs au moment des débats à l'Assemblée nationale sur
la proposition de loi.

147

La liberté des individus leur permet de choisir la pratique de leur sexualité, qu'elle soit hétérosexuelle ou homosexuelle. C'est leur libre choix individuel, leur vie privée. Cela ne me regarde pas. J'estime, pour ce qui est des homosexuels qui vivent en couple, que la société devrait leur reconnaître le droit de bénéficier d'une certaine solidarité. À partir du moment où deux personnes, quelles qu'elles soient et quelles que soient leurs motivations, sentiment ou solidarité, partagent un logement, pourquoi le dernier survivant n'aurait-il pas un droit au bail ? Pourquoi n'aurait-il pas de réversion de pension ? De transmission de patrimoine ? Ce sont là des droits auxquels il est normal d'accéder lorsqu'ils viennent en conséquence d'un choix entériné par un contrat sous seing privé, chez le notaire par exemple.

Il ne s'agit donc pas de juger des comportements individuels auxquels je reconnais parfaitement le droit de s'exprimer et, je le souligne, je ne souhaite pas que ces comportements soient la source d'inégalité et d'injustice. En revanche, si je prends ce problème sous l'angle de la collectivité, j'estime que l'État n'a pas à intervenir dans la logique des sentiments. Il doit s'engager dans le seul contrat avec les couples hétérosexuels, car il s'agit là d'un contrat social. Les couples hétérosexuels ont vocation à avoir des enfants qui vont assurer la pérennité de la société. C'est un modèle anthropologique et le seul qui vaille au plan de la survie d'une société. L'État développe donc une politique familiale envers les couples mariés ou en union libre s'ils ont des enfants. En contrepartie de ces droits, s'exercent bien sûr des devoirs. Je ne crois pas que le couple homosexuel puisse être un modèle social et qu'il relève d'une consécration par l'État. Je ne veux blesser personne, c'est réellement ma conviction et je le dis avec respect et sans passion.

Autre point sur lequel, à mon avis, la société doit également intervenir, c'est celui qui concerne l'enfant lui-même, dont elle doit garantir les droits, le premier étant d'exiger d'avoir un père et une mère. Nier ce droit serait nier un droit naturel essentiel. C'est pourquoi je m'oppose à la revendication des couples homosexuels qui veulent adopter des enfants et les élever. Je ne méconnais pas du tout leurs capacités d'affection, d'attention et de dévouement envers un enfant. Je dis simplement que l'enfant a besoin des deux références complémentaires que sont un père et une mère.

On voit, clairement exposée, la limite entre la liberté des uns et la responsabilité des autres. Et ce n'est pas être réactionnaire, conservateur ni même moralisateur, que de défendre le modèle anthropologique naturel que représente un couple, homme et femme, au regard de la pérennité de la société.

La liberté et ses conséquences

De la même façon que l'évolution des mœurs précède et motive les lois, l'évolution de la société va imposer de nouvelles règles de vie. Pourquoi pas ? Il n'y a là rien de très nouveau, cela se passe ainsi depuis que le monde est monde...

La loi sur l'IVG n'avait rien de spontané, elle n'a pas germé, un beau matin, dans l'esprit d'un député. L'avortement n'avait rien de nouveau, il s'est pratiqué de tout temps ; déjà, dans l'Antiquité, les femmes se transmettaient des recettes abortives à base de poudre d'iris. Dans les années 70, le chiffre des avortements clandestins pratiqués en France, dans des conditions dangereuses pour la santé des femmes, moins risquée il est vrai pour celles qui pouvaient se rendre à l'étranger, ce chiffre était tel qu'une loi s'imposait. Elle fut votée de façon à réguler ces avortements faits à la sauvette sur des femmes qui n'avaient même pas eu le temps de la réflexion. Mais, du fait de la transgression, de ce que l'interdit n'est plus, d'autres considérations sont venues motiver le principe même de l'avortement, et il n'est pas certain que les consciences soient, à ce stade, suffisamment éduquées.

Bien sûr, je peux comprendre que les couples choisissent d'interrompre une grossesse parce que l'enfant est porteur d'un handicap grave. Mais je voudrais que ce ne soit pas une décision qui, cédant à une mode ou à la facilité, devienne un usage ou une habitude. Et mon souci aujourd'hui est davantage de savoir comment on peut former, éduquer, nourrir les consciences pour qu'elles soient à même de permettre à chacun de mener une vie d'homme, un destin d'homme. Or, et c'est toute la difficulté du moment, on n'y est pas préparé.

De même, je crois que les hommes ne sont pas encore habitués suffisamment à l'exercice de la liberté. Pas la liberté théorique, mais les libertés nouvelles, dont le champ s'accroît de façon vertigineuse en raison des progrès scientifiques, laissant l'homme démuni, désemparé.

Il faut cependant respecter la liberté des citoyens, tout en leur rappelant à chaque instant que leurs décisions ne sont pas sans conséquences. Il leur faudrait appliquer, en quelque sorte, le bon sens populaire d'autrefois aux conditions de vie d'aujourd'hui.

Le bon sens d'autrefois dirait très simplement : « Vous congelez des embryons ? Mais vous êtes fous ! » ou, dans un autre domaine : « Parce que vous les nourrissez avec des farines animales, vous transformez ces herbivores que sont les braves vaches en carnivores, c'est insensé. » Le bon sens populaire, la sagesse traditionnelle sont aujourd'hui complètement bousculés, « cul par-dessus tête », et il faut situer à nouveau les repères.

Pour ce qui est de congeler les embryons, on le fait maintenant depuis plus de vingt ans. Il est évident qu'on ne fera pas marche arrière, d'autant qu'il y en a des centaines de milliers dans des congélateurs. Il s'agit de fixer de nouvelles maximes. Je prends l'exemple très précis des lois de bioéthique et d'expérimentation sur l'embryon. Nous sommes dans une période de découverte. Je redis qu'autrefois, lorsqu'une femme apprenait qu'elle était enceinte, elle portait déjà un enfant à naître depuis plus de trois semaines, il méritait bien le qualificatif d'embryon.

Quand en 1975 la loi sur l'avortement a été votée, il s'agissait d'autoriser l'interruption de la grossesse sur un embryon d'un minimum de trois semaines et sur un maximum de dix semaines. À cette époque, le vrai débat a eu lieu de savoir si on pouvait, ou pas, interrompre la grossesse dans les conditions définies par la loi. Or, nous sommes aujourd'hui à une époque bien différente.

Autrefois, c'était à la naissance qu'on découvrait ce que l'enfant était. Dans le même temps, de la même façon qu'on découvrait si c'était un garçon ou une fille, on découvrait s'il était porteur d'une malformation, et il existait véritablement aux yeux de la société à partir du moment où il naissait.

Du fait des progrès de la science, nous avons supprimé cette période d'interdits, et pratiquement gommé jusqu'à la signification de la naissance, puisque la conception peut se faire dans une éprouvette, que régulièrement, avec une sonde échographique, on peut regarder évoluer l'embryon, le fœtus. On sait qui il est, si c'est un garçon ou une fille, on sait qu'il a cinq doigts à chaque main, comment est son crâne, si son cœur est bien formé, si ses reins sont bien en place. On sait quand il dort, quand il est éveillé, s'il bouge à un bon rythme. Il est là, caché dans le ventre de sa mère, mais ce ventre est transparent. Il n'y a donc plus l'interdit de l'image, puisqu'on peut le voir sur l'écran en direct, et quand il naît, il n'y a pas un changement extraordinaire, on savait déjà presque tout de lui.

À partir du moment où existe cette espèce de continuum, depuis la fécondation jusqu'à la naissance et après, on est confronté, ne serait-ce que pour les avortements, à la nécessité de fixer des limites et des seuils. L'avortement, oui, mais jusqu'à quand ? Quand on a décidé en 1975 que la date limite d'intervention devait être fixée à dix semaines, cela a été décidé non pas parce qu'on savait que l'enfant changeait de nature entre neuf et onze semaines, mais parce que c'était techniquement possible, par voie basse et par aspiration, jusqu'à douze semaines. Au-delà, l'embryon est trop gros pour passer dans la canule.

Mais on ne définit pas un être humain en gestation en

151

fonction de dates fixées par des difficultés techniques, il n'y a donc aucune raison de ne pas autoriser l'interruption de grossesse plus tard, à douze, quinze et pourquoi pas seize semaines. On peut tout aussi bien, dans un premier temps, proposer de fixer la limite à la viabilité, que la loi estime à six mois. Mais maintenant, on sait extraire des enfants de cinq mois qui survivent !

Va-t-on changer le seuil de viabilité en fonction des progrès techniques, sachant que dans les quinze ou vingt ans à venir, nous allons imaginer des incubateurs qui permettront de poursuivre une grossesse *in vitro*, pour les enfants sortis trop tôt du ventre, donc non viables ? Pourquoi ne pas imaginer des incubateurs complètement indépendants du ventre de la mère ? La fécondation se ferait *in vitro*, et l'embryon serait mis dans une espèce d'aquarium avec des nutriments. On pourrait alors voir le fœtus pousser dans son enceinte de verre qu'il faudrait naturellement sonoriser, parce qu'il a besoin du rythme de la mère, et aussi bouger de temps en temps pour qu'il n'ait pas le sentiment d'habiter un monde immobile. Science-fiction ? Pourtant, il n'y a aucun obstacle scientifique insurmontable à cela.

Avant même que de naître...

La pédiatrie n'existait pas avant la guerre. Les médecins généralistes gravaient sur leur plaque « médecine générale, femmes et enfants » et prenaient les femmes et les nourrissons en charge. Le professeur Robert Debré (1882-1978) est l'inventeur de la pédiatrie moderne, qui s'est rapidement développée. Bientôt en a découlé la puériculture, c'est-à-dire les méthodes de soins propres au nourrisson et au petit enfant durant ses trois premières années. Des années importantes qui nécessitent des compétences très particulières en matière de vaccins, de diététique ; il s'agit également de suivre le bon développement psychomoteur de l'enfant, son évolution, la marche, la parole.

Puis s'est développée la néonatologie, qui prend en charge le nouveau-né avec ses problèmes spécifiques, une respiration difficile, des rythmes cardiaques pas encore réguliers... On est alors remonté d'encore un cran, et des médecins se sont spécialisés dans le prématuré toujours plus prématuré, toujours plus petit et donc fragile. 2 kg, 1,5 kg, 1,2 kg, 1 kg, 800 g... Il existe même des spécialistes des prématurissimes, ces très petits qui pèsent parfois à peine plus de 500 g : il n'y a finalement aucune raison pour qu'on ne puisse pas les faire vivre. 500 g, c'est très peu, le mieux est donc qu'il reste dans le sein de sa mère, où on le soigne en cas de besoin. On a alors inventé la médecine fœtale. Des soins apportés au troisième trimestre de la grossesse, on a su remonter jusqu'au deuxième trimestre, on peut maintenant pratiquement intervenir sur des fœtus de quatre mois. Bientôt, on n'en sera plus à la médecine du fœtus, mais à celle de l'embryon. Ainsi, de progrès en progrès, on pourra remonter jusqu'à l'œuf fécondé *in vitro* par l'intermédiaire du diagnostic préimplantatoire et, s'il lui manque un gène ou si un gène est anormal, on le remplacera par un gène normal. On aura donc une médecine de l'œuf fécondé. Plus de discussion oiseuse sur l'impossible statut philosophique ou juridique de l'embryon. La médecine réglera elle-même les questions qu'elle soulève : l'embryon devient, évidemment, un patient.

D'un côté, la médecine remonte le plus près possible de la fécondation, c'est-à-dire de la création de la vie. De l'autre, on recule de plus en plus la possibilité d'interrompre la grossesse. Prenons l'exemple d'un enfant pour qui on diagnostique une malformation cardiaque sévère diagnostiquée à quatorze semaines de grossesse. L'échographiste et l'obstétricien annoncent « une malformation des gros vaisseaux » aux parents bouleversés, mais ils ajoutent : « Ça s'opère. » On fait alors venir le chirurgien cardiaque qui dit : « Effectivement, à la naissance, je peux prendre l'enfant en charge et l'opérer. »

Voilà un couple qui doit désormais prendre une grave décision. Ou il décide de poursuivre la grossesse, ce qui veut dire avoir un enfant avec, dès la naissance, un lourd passif. Ou il décide de l'interrompre, ce qui est tout à fait permis puisque la malformation est grave. Aux futurs parents de choisir. On entre dans une zone de fortes tensions.

L'interdit et le sacré

Dans le siècle qui vient, nous assisterons à un conflit sur les critères de la vie, la valeur qu'on lui donne, son caractère sacré. C'est pourquoi je pense nécessaire que les consciences soient formées à cette notion qu'il ne peut pas y avoir de société humaine sans interdits. Sinon, il n'y a plus de sacré, et plus rien ne vaut, en définitive. Mais où fixer la limite ? Dans le cas d'un diagnostic prénatal défavorable, la conscience peut prendre la décision d'interrompre la grossesse, de transgresser l'interdit du respect de la vie. Surtout dans cet entre-temps où la médecine est capable de savoir, mais pas toujours de guérir. Les parents pourraient dire : « Nous avons pris l'habitude, dans notre société, d'avoir un enfant normal. Celui-ci a un problème, et nous voulons un enfant en bon état. » Nous sommes dans une logique consumériste. On fait l'inventaire avant livraison et si l'enfant ne convient pas, on interrompt.

Sans le savoir, je pense que les médecins ont scié la branche sur laquelle ils étaient assis. Sauf à ce que très vite le diagnostic prénatal débouche sur un traitement, nous allons entrer dans une période où les interruptions pourraient devenir habituelles, ne serait-ce qu'au titre de la compassion. Moi qui suis opposé à l'interruption de la vie par principe, à titre individuel, je comprends une décision prise par des couples librement et en toute responsabilité et j'estime que la compassion doit les accompagner. Mais il ne faut pas passer de la transgression à l'habitude, parce que l'habitude tue l'interdit. Toute l'affaire du diagnostic prénatal tourne autour de ce problème, de la norme, du mythe de l'enfant parfait, du refus de l'erreur et de la préférence à l'élimination. On recommence à zéro plutôt que de se lancer dans une entreprise risquée, des corrections dont on ne sait pas si elles seront complètes ou pas, et pour lesquelles on n'a pas de garanties.

Certes, autrefois, les médecins n'aidaient pas toujours à vivre à tout prix un enfant malformé ; on laissait la nature suivre son cours. Cela donne l'impression dans un premier temps que le diagnostic prénatal vient au secours d'une sélection naturelle que la médecine moderne empêche d'agir. C'est vrai, aujourd'hui, quand un enfant poly-malformé naît, la médecine moderne est capable de le maintenir en vie et, dans bien des cas, de le sauver, mais elle ne sait pas le guérir. Autrefois, elle ne savait pas le guérir, elle ne savait pas non plus le sauver, et cet enfant disparaissait. Ce qui démontre effectivement que le diagnostic prénatal crée un des questionnements probablement les plus difficiles de la médecine aujourd'hui parce que s'y ajoutent également les aléas de la prédiction.

Il faut aussi soulever un autre point, le fait qu'on n'a jamais mesuré l'impact psychologique de ce choix sur le couple, plus spécialement la future mère. Quand bien même elle serait justifiée par une malformation sévèrement invalidante et incurable, il ne faut pas s'imaginer qu'une interruption de grossesse est sans effet, sans séquelles. Ce n'est pas un coup de gomme ! C'est une décision grave bientôt suivie d'un acte physique. Ce qui laisse une trace définitive, une cicatrice, devient partie intégrante et parfois douloureuse du vécu, on s'en apercevra probablement plus tard. Je redoute, pour le moment, sachant que le diagnostic prénatal va intervenir et qu'éventuellement elle devra interrompre sa grossesse, que la future mère se mette en situation psychologique de ne pas s'attacher à l'enfant tant qu'il n'a pas reçu son visa pour la vie. À quoi servirait de s'attacher à un enfant qu'on ne portera peut-être pas à terme, si ce n'est à souffrir ?

10

LA VIE EN ÉPROUVETTE

L a fécondation *in vitro*, la FIV, est aujourd'hui tellement banalisée dans l'opinion publique qu'elle paraît facilement accessible. Certains couples l'intègrent même par avance comme recours éventuel lorsqu'ils diffèrent trop longtemps la conception d'un enfant par des méthodes que je qualifierais de « plus éprouvées ». La fécondation *in vitro* n'en reste pas moins un des miracles – le mot n'est pas trop fort –, de la science, tout comme la procréation est un des miracles de la nature.

La stérilité est plus fréquente qu'on ne le suppose. Beaucoup de couples la vivent comme une infirmité, ce qui cause souvent des désastres dans leur harmonie. Chez la femme, la chirurgie ne parvient pas toujours à réparer ces deux petits canaux bouchés qui empêchent la rencontre de l'ovule et du spermatozoïde. Et, comme cela arrive souvent, la science se pare de magie. Il suffit, guidé par l'échographie, d'aller chercher à la surface de l'ovaire un ovule que l'on dépose dans une éprouvette où les spermatozoïdes du futur père vont l'assaillir. Reste à observer le processus de fécondation à l'aide d'un microscope et, dès que l'œuf fécondé se divise et fait la preuve de sa vitalité, l'introduire dans l'utérus de la future mère où il va nicher.

Cela semble aller de soi, c'est en fait un peu plus complexe. La technique est délicate, le taux d'échec élevé, ce qui conduit à prélever plusieurs ovules et donc à concevoir un plus grand nombre d'embryons que les deux ou trois qui vont être placés dans l'utérus maternel. On met alors les 5, voire 8 ovules fécondés dans l'azote liquide, en congélation, au cas où aucun des embryons implantés ne se développerait ; cette étape sera obligatoire tant que l'on ne saura pas conserver les ovocytes non fécondés. Les embryons sont conservés dans l'azote jusqu'à ce qu'ils soient implantés à leur tour, en cas d'échec. En cas de réussite, toujours conservés dans l'azote, ils viendront grossir le lot des embryons surnuméraires devenus sans objet qui découle obligatoirement de la fécondation *in vitro*.

Une fois ces embryons placés dans l'utérus maternel et se développant, assez rapidement vient l'idée que l'on n'a pas fait tous ces examens variés, ces ponctions, cette fécondation *in vitro*, ce transfert d'embryons *in utero*, etc., pour aboutir à la naissance d'un enfant qui sera peut-être handicapé. On estime alors nécessaire de faire un diagnostic prénatal. Mais, en pratiquant le diagnostic pré-natal, on prend le risque d'interrompre une grossesse éminemment précieuse. D'où l'idée qu'il serait sans doute plus intelligent et plus prudent, puisque l'on a un nombre d'embryons supérieur à ceux qu'on veut transférer, de faire un diagnostic génétique avant l'implantation des embryons dans l'utérus maternel. C'est-à-dire non plus faire un diagnostic prénatal pendant la grossesse, mais faire un diagnostic pré-implantatoire *in vitro* sur la totalité des embryons dont on dispose, surtout si un risque précis de maladie génétique connue existe. Cela ouvrirait très vite la porte au tri, à la sélection des embryons, et on n'a pas de mal à imaginer les dérives possibles.

Au rythme où vont les choses, des contestations inat-tendues peuvent rapidement survenir, surtout avec l'amé-lioration des techniques, de la part des couples qui peuvent concevoir par la voie naturelle mais doivent pas-ser par le diagnostic prénatal. C'est pénible, les résultats se font attendre, ce qui rend le choix difficile au cas où il y aurait une décision d'interruption à prendre, c'est *in utero*... Alors que pour les autres, ceux qui conçoivent *in vitro*, c'est-à-dire *ex utero*, pas de souffrance, pas de délai, pas de décision difficile à prendre. Ce qui n'est pas juste, et les couples « sans histoire » s'élèvent alors. Eux qui conçoivent par la voie naturelle ne peuvent pas bénéficier des avantages du diagnostic pré-implantatoire. Ils veulent passer par la fécondation *in vitro*.

Ce qui est une analyse génétique pour des couples en difficultés pourrait devenir, à terme, le processus normal de conception permettant de lancer une grossesse « à la demande ». N'a-t-on pas vu tout récemment des couples souhaiter concevoir *in vitro* alors qu'ils étaient encore jeunes pour ne faire porter à la femme leurs enfants décongelés que beaucoup plus tard, une fois leur carrière faite ?

Se pose également la question du sort des embryons surnuméraires. Je reprends l'exemple cité plus haut. Ils étaient huit. On en a transféré deux ou trois et, n'étant pas sûr que l'implantation réussisse, au cas où il faudrait implanter à nouveau, les autres ont été mis dans un congélateur, dans l'azote liquide à moins 196 degrés de façon à pouvoir renouveler l'opération si nécessaire. Tout ceci est d'une logique presque désarmante, puisqu'il s'agit de donner plus de chances aux couples concernés d'avoir les enfants qu'ils désirent car, ne l'oublions pas, nous sommes dans le projet d'un couple qui n'a pas d'enfant et ne peut pas en avoir par les voies naturelles.

Il y a deux hypothèses. En cas d'échec, on recommence, on transfère à nouveau, c'est-à-dire qu'on utilise deux ou trois embryons décongelés. Ou tout se passe comme souhaité, les premiers embryons implantés se développent, les parents enfin comblés remercient chaleureusement leur médecin avant de disparaître... laissant les embryons restants dans le congélateur ! Qu'en faire ? Souvent, le couple laisse en garde les embryons surnuméraires, attendant de les utiliser le jour où il voudra un autre enfant. Mais, dans un certain nombre de cas non négligeables, sa démarche s'inscrivait dans un projet parental bien précis. Une fois la grossesse menée à bien, ayant enfin l'enfant qu'il désirait, parfois même des jumeaux, il n'a que faire de l'avenir des embryons surnuméraires qu'il laisse en charge à la médecine. Le laps de temps légal

est de cinq ans, pendant lesquels on interroge régulièrement les parents. Désirent-ils qu'on les garde ou pas ?

Essayons d'être pratiques. Le nombre d'embryons congelés sans avenir augmente chaque année d'environ
30 000. Ils sont aujourd'hui, en années cumulées, plusieurs centaines de milliers dans les congélateurs. Pour
eux, le temps est suspendu, et il n'y a pas de raison pour
qu'on ne puisse pas les décongeler dans un siècle, voire
deux ou trois. On ne sait rien à ce propos, et la cryocon-
servation demeure un des fantasmes qui alimentent la
fiction. Prépare-t-on un Jurassic Park humain pour dans
quelques milliers d'années ? On peut voir là quelque
chose d'absolument hallucinant, relevant de l'imaginaire.
Mais non, c'est la vie, tout simplement.

Il y a peu de solutions. La première est de les détruire,
c'est-à-dire arrêter la congélation. Je ne crois pas, si un
jour on débranche un congélateur, qu'aucun journal
puisse titrer : « Panne de courant, 1 000 morts ». Mais
cette possibilité de destruction a déclenché de très vives
protestations au motif qu'il faut privilégier la vie, que les
couples doivent assumer leurs embryons, les femmes les
recevoir et les porter, ce qui obéit à une certaine logique.
La loi pourrait effectivement contraindre. Mais une
femme qui n'en voudrait pas pourrait facilement, la veille
de l'implantation de ses embryons surnuméraires, se faire
placer un stérilet, ils seraient alors expulsés par la pose
du dispositif intra-utérin, ce qui n'a pas de sens. Elle
pourrait encore plus facilement prendre la pilule du lendemain. La contrainte serait, on le voit, totalement inco-
hérente.

Une autre attitude consiste, devant ces embryons dont
les parents ne veulent pas, à proposer comme parents
potentiels les couples qui ne peuvent pas avoir d'enfant
et ont des difficultés pour en adopter. Ils sont parfois
obligés de se tourner vers l'étranger dans des conditions
pas toujours faciles, ni même légales. Pourquoi ne pas
leur permettre l'accueil d'embryons congelés devenus

sans objet parental ? Ce serait, après tout, la forme la plus précoce de l'adoption.

Imaginons le scénario autour d'un couple dont les deux partenaires sont stériles et pour lesquels les techniques de la procréation médicale ont échoué. On implante chez la femme deux ou trois embryons décongelés pour elle. Neuf mois plus tard, à terme, elle accouche de cet – ou de ces – enfants dont elle est la mère utérine. Ce qui paraît tout à fait logique et a l'avantage de privilégier la vie par rapport à la destruction.

Ce n'est cependant pas si simple. Cette pratique reviendrait à accepter le principe qu'une femme puisse porter un embryon qui n'est pas le sien. Soit accepter, de fait, la méthode des mères porteuses. Encore faut-il faire un distinguo entre différentes solutions. Première hypothèse, la femme porte un embryon qui n'est pas le sien et accouche d'un enfant qu'elle garde pour elle. Deuxième hypothèse, écoulé le temps de la gestation, elle le donne, à la naissance, à un couple commanditaire, ce qui devient beaucoup plus contestable. Plus contestable encore, le cas de celle qui n'est d'ailleurs pas vraiment une mère porteuse car elle a conçu, avec ses propres ovules et le sperme d'un homme dont la femme est stérile, l'enfant qu'elle va donner au couple commanditaire. C'est une maternité pour le compte d'autrui. Ces nouveaux parents se déclineront en trois personnes : le père, qui est le père biologique, la mère qui n'est pas la mère biologique, et la femme qui aura conçu et porté un enfant pour eux. Ceci est peu acceptable, du moins sous nos cieux car, en Polynésie par exemple, porter un enfant pour une cousine qui n'a pas la chance de pouvoir le faire elle-même n'est pas du tout considéré de la même façon. Les civilisations réagissent différemment selon leurs traditions et leur sensibilité. Selon aussi leur rapport à l'argent.

Toutes ces suppositions, en fait des possibilités bien réelles, peuvent nous entraîner encore plus loin. Quand on commence à manipuler la fécondation *in vitro*, le traitement hormonal, l'embryon congelé, le transfert *in utero*, etc., on peut très bien voir procréer des femmes ayant

161

largement l'âge de la ménopause, le record en la matière étant détenu par l'Italie où une femme de soixante-trois ans a donné naissance à un enfant. Avec les avancées de la science et de la technique, tout est possible. On peut fort bien imaginer qu'une femme vienne consulter : « Docteur, je suis à la retraite, j'ai beaucoup de temps libre, il serait bien que j'aie un enfant maintenant car jamais, lorsque j'étais en activité, je n'aurais eu autant de temps à lui consacrer. » On lui dit qu'elle est ménopausée, ce à quoi elle rétorque traitements hormonaux. On lui dit qu'elle n'ovule plus, elle répond implantation d'embryons congelés. Quand on lui oppose alors que son organisme n'a sans doute plus la souplesse nécessaire pour accoucher, elle envisage une césarienne. Et, de logique en logique, on quitte bientôt la logique médicale pour entrer dans une logique de prestation de services : « Bébés *ad libitum* »...

J'objecte : l'enfant est un être humain à part entière et non un petit personnage que l'on s'amuse à fabriquer. Il n'est pas possible de laisser ainsi se dérouler, sans aucune limite, une procréation qui tiendrait plutôt du virtuel et de la science-fiction que de la réalité humaine. Car on peut très bien en arriver à concevoir des enfants ayant cinq parents différents. Un homme « fournit » ses spermatozoïdes, une femme ses ovules, une deuxième femme porte l'enfant pendant neuf mois, afin de le remettre, à la naissance, à un homme et une femme qui le prendront alors en charge... Quelle famille, cinq personnes pour un seul bébé ! Nous entrons dans des situations invraisemblables dont on pourrait multiplier les exemples. Il faut donc bien qu'une société décide de ce qui lui paraît correspondre à l'idée qu'elle a d'elle-même. Une société est en droit de s'interroger : la vie est-elle un don ou un dû ? Certains couples, me demandant les raisons de mon refus, ajoutent : « Vous ne comprenez pas, cet enfant, nous y avons droit ! »

Le « droit à l'enfant »

Ce seul terme fait entrer l'enfant dans la catégorie des choses et des objets. Car, si on y réfléchit bien, on n'a jamais « droit » à quelqu'un. On peut éventuellement avoir droit à quelque chose. Le droit à l'enfant ferait entrer celui-ci dans la catégorie des choses dont on décide quand et comment on les acquiert.

Certes, tout peut aujourd'hui s'envisager et même se faire, et à partir de ce postulat, on peut parfaitement imaginer qu'une femme, stérile parce qu'elle n'a pas d'ovaires, se voie greffer un ovaire prélevé sur un fœtus féminin avorté ou mort-né. L'ovaire d'un fœtus féminin étant porteur de toute la potentialité adulte des ovules, on pourrait ainsi, par greffe ovarienne, faire qu'une femme mature des ovules qui ne porteraient pas son patrimoine génétique. Ce faisant, elle mettrait au monde des enfants dont la mère génétique serait un fœtus féminin n'ayant jamais vécu. Pour être assez sordide, tout ceci n'en est pas moins d'une simplicité folle quant à la réalisation. Pour le reste... Une femme italienne, noire, a souhaité, puisqu'elle devait avoir recours à un don d'ovules, que ces ovules proviennent d'une femme blanche, dans le but de mettre au monde un enfant blanc pour lequel l'intégration serait plus facile. Nous voici dans une logique étonnante où on décide ainsi des caractéristiques d'un enfant en fonction du devenir qu'on lui prévoit.

Peut-on se lancer dans cette aventure ? On sait que l'enfant a besoin, dans toute la mesure du possible, d'un père et d'une mère pour l'accueillir, l'élever. En toile de fond de ce débat se pose très clairement la notion de ce que sont un enfant, une famille, et de ce qu'est l'amour entre un homme et une femme qui décident, ensemble, de donner la vie dans des conditions déterminées et qui, s'ils n'y arrivent pas, peuvent, peut-être, par amour, trouver une autre façon de se transcender.

163

Plutôt que de détruire...

On détruit ou on transfère, on accueille et on porte ces embryons dits orphelins avec une facilité qui tient aux progrès de la science. D'autres progrès, plus décisifs, restent à faire pour espérer vraiment soigner. Les chercheurs veulent comprendre à quoi sont dues les stérilités, les anomalies du développement précoce, les anomalies de l'implantation. Ils ont raison. Ils doivent comprendre le mécanisme des malformations, des stérilités et des avortements afin d'y remédier. Pour cela, il leur faut réaliser sur l'embryon des recherches comme on en fait à tous les stades de la vie. Comme il n'est évidemment pas question d'en « fabriquer » pour la recherche, encore que certains pays semblent s'y préparer, on se tourne alors vers les fameux « surnuméraires », ceux qui ne sont réclamés par personne, au prétexte que, sous certaines conditions, cela est préférable au fait de les détruire. Et on arrive assez logiquement à l'acceptation de cette idée.

Ce qui soulève toute une série de questions. Les recherches sur l'embryon interviennent dans un contexte très particulier. Il s'agit non plus d'une expérimentation sur l'embryon, mais bien d'essais d'embryons. Ce ne sont plus des essais sur l'homme, mais des essais d'homme ! Pas un fantasme, mais bien une réalité illustrée récemment par l'irruption de la technique dite « ICSI » (*intracytoplasmic sperm injection*). Il s'agit d'injecter directement avec une micropipette un seul spermatozoïde, choisi au hasard, dans le cytoplasme de l'ovule. Qui pourrait par avance garantir le résultat ? La logique a été conduite jusqu'au bout. Après ICSI, l'embryon a été transféré *in utero*, la grossesse s'est déroulée et l'enfant est né. Puisqu'il était normal, on a conclu que la technique était probablement sans danger et depuis elle a littéralement envahi la pratique. L'avenir dira si l'on a eu raison d'être si imprudent et d'agir dans une telle précipitation. Mais que se serait-il passé si l'enfant était né anormal ? En aurait-on simplement conclu que l'essai était raté et la technique

condamnée ? Certes, on pourrait améliorer ainsi le développement embryonnaire et la qualité des enfants à naître. Mais il y a aussi les recherches menées sur l'embryon
lui-même, celles qui conduisent à étudier son développement, sa croissance, son implantation, le rôle de facteurs
chimiques ou physiques sur la création de malformations.
Les enjeux médicaux sont considérables et les modèles
animaux souvent insuffisants. Alors, que faire ?

Dans cette démarche, on a tendance à considérer l'embryon comme un matériau de laboratoire, une sorte de
matière première sur laquelle on va expérimenter, et
qu'on va jeter au terme de l'expérimentation. Il faut ici
apporter quelques précisions pour éviter les confusions
habituelles. Ces expérimentations et essais cliniques se
font en fait depuis déjà longtemps. L'utilisation d'une
nouvelle molécule pour éviter telle ou telle affection est
comparable à toute expérimentation humaine. Lorsqu'on
évoque habituellement le problème de la recherche sur
l'embryon, il s'agit du seul embryon *in vitro* entre la fécondation et son transfert, c'est-à-dire les seuls tout premiers
jours du développement. Mais à ce stade, devant ce « gru-
meau de cellules » hésitantes, comment savoir s'il s'agit
bien d'un embryon ?

Après la fécondation, l'œuf ou zygote se segmente et
vient s'implanter dans la muqueuse utérine maternelle
vers le huitième jour environ. Il ressemble alors à une
mûre, on l'appelle d'ailleurs *morula*, et à l'intérieur s'est
creusée une cavité. Il y a donc une sorte de sac avec ses
membranes, qui va s'accrocher par l'intermédiaire d'un
épaississement formant le placenta. Puis, à l'intérieur de
la cavité, apparaît un petit bourgeon, le bouton embryonnaire, à partir duquel va se développer l'embryon, puis le
fœtus, puis l'enfant.

Mais le développement ne se fait pas de façon aussi
évidente. Deux à trois fécondations sur quatre échouent
et se terminent par l'élimination, sous forme d'avortement très précoce, d'un sac vide, ce que l'on appelle un
œuf clair. Celui-ci possède bien les membranes et le placenta, mais rien au milieu, dans la cavité. C'est-à-dire

165

qu'il n'y a pas d'embryon. Or, dans notre terminologie classique, on ne manque pas de nommer cette structure vide...

Un premier point se pose : cette structure, avant l'apparition du bouton embryonnaire, mérite-t-elle le nom d'embryon ?

Le deuxième point soulevé est tout aussi important. Personne dans l'opinion publique ne s'oppose avec passion à l'utilisation du stérilet, pas plus qu'à celle de la pilule du lendemain. Or, le stérilet, par effet mécanique, va empêcher la morula, avec quelquefois déjà le début du bouton embryonnaire, de s'implanter à huit jours. Je rappelle que l'on congèle entre trois et cinq jours ! Il paraît donc paradoxal d'évoquer des problèmes insurmontables quant à l'expérimentation au cours de la première semaine, alors qu'on ne trouve rien à redire sur l'élimination mécanique ou chimique à huit jours ! Il y a là une sorte d'incohérence.

Ne nous serions-nous pas trompés en désignant comme un embryon, par facilité, cette structure précoce ? Probablement. Cela vient du fait que ce mot a été mis en avant au cœur des débats concernant la loi sur l'avortement de 1975. La raison en est simple : en 1975 encore, lorsqu'une femme découvrait qu'elle était enceinte, la fécondation remontait à trois ou quatre semaines. C'est parce qu'elle avait un retard de règles, qu'elle faisait un test de grossesse et apprenait que, la fécondation ayant eu lieu au milieu du cycle précédent, elle était enceinte depuis un mois environ. Il s'agissait bien, indubitablement, d'un embryon qu'il fallait protéger jusqu'à ce qu'il devienne un fœtus, au troisième mois, moment à partir duquel les médecins ne pouvaient plus intervenir. L'idée était alors de défendre cette période, cette « fenêtre », pendant laquelle l'embryon était accessible pour une interruption de grossesse.

Plus tard, quand on a fécondé *in vitro*, on a utilisé par habitude, parce que c'était celui qui venait spontanément à l'esprit, le terme « embryon ». Je ne suis pas certain, avec le recul, que cette appellation soit judicieuse. Nous avons aujourd'hui de nouvelles connaissances qui pourraient sans doute nous conduire à employer de nouveaux termes plus justes. Pour la conception d'un enfant, ne faudrait-il pas distinguer successivement deux étapes, chacune étant nécessaire mais insuffisante, la première étant la fécondation et la seconde, l'implantation ? La fécondation doit se compléter obligatoirement par l'implantation, ou nidation, faute de quoi il n'y a pas développement, mais avortement.

Certaines religions, la religion musulmane et la religion juive notamment, semblent clairement distinguer l'embryon *in vitro* et congelé de celui implanté *in utero* qui, à leurs yeux, a pour vocation de se développer jusqu'à devenir un enfant. Lui porter atteinte serait une grave transgression. En revanche, l'embryon *in vitro* et congelé n'a pas spontanément vocation à donner un enfant. Il faut un deuxième geste délibéré, volontaire, pour le transférer dans l'utérus. Maintenant que l'on possède la maîtrise de la fécondation, il faut bien considérer que ce que nous appelons « embryon *in vitro* » n'en est pas un à proprement parler, ni sur le plan biologique ni sur le plan de son évolution spontanée. Il faut attendre l'implantation, ce moment où apparaît le bouton embryonnaire et où son développement s'élance selon un processus continu.

J'ai bien conscience de ce qu'une nouvelle appellation changerait le regard porté sur la recherche. Celle-ci se ferait alors sur des œufs segmentés et pourrait intervenir à leur niveau sans donner pour autant l'impression de transgresser. En effet, si l'embryon, selon la définition donnée par le Comité consultatif national d'éthique, est une personne humaine potentielle, le zygote, ou la morula, ou l'œuf segmenté, n'est encore qu'au stade potentiel. Cela n'enlève d'ailleurs rien à l'idée que la vie obéit à un continuum et que dès la fécondation, une vie apparaît, d'où une succession de phases qu'il faut peut-être désormais distinguer, de façon à mesurer l'importance de la transgression.

167

La mythologie moderne

L'affaire se complique encore lorsqu'il s'agit d'un clonage. Bien que l'on puisse toujours discuter du bien-fondé des mots, on peut dire que la technique de clonage consiste à reproduire à l'identique. On recueille un ovule, dont on extrait le noyau, pour le remplacer par un noyau prélevé sur une cellule adulte, et on obtient, curieusement, le développement d'un être complet semblable ou presque à celui ayant fourni le noyau transféré. Curieusement, car il n'y a pas eu fécondation, il n'y a pas eu de rencontre entre spermatozoïdes et ovules. Curieusement, alors qu'il n'y a pas eu la remise à zéro des pendules génétiques par la phase indispensable qu'est la méiose, c'est-à-dire l'étape de fabrication des spermatozoïdes et des ovules, au cours de laquelle le matériel génétique subit en quelque sorte une cure de jouvence. Donc, à partir d'un ovule humain énucléé ayant reçu 46 chromosomes d'une cellule différenciée adulte, on obtient des comportements totalement inattendus de ces 46 chromosomes qui, quoique différenciés, c'est-à-dire spécialisés, retrouvent leur capacité à donner toutes les cellules constitutives d'un organisme. C'est ce qu'on appelle la dédifférenciation.

Le miracle du clonage, c'est qu'un noyau issu d'une cellule définitivement spécialisée (peau, sang, muscle, cerveau...) retrouve, une fois glissé dans le cytoplasme d'un ovule, toutes les potentialités nécessaires pour produire un être entier ! Il perd sa spécificité et retrouve sa « totipotence » (capacité que possède une cellule de se différencier en tous les types de cellules différents) au cours d'un processus de « dédifférenciation » (possibilité pour des cellules préalablement différenciées de retrouver leurs propriétés embryonnaires).

C'est ce que je considère comme la mythologie moderne. Les problèmes de la bioéthique aujourd'hui, les problèmes posés par la science, ne sont jamais qu'une réactualisation de la mythologie antique. Le clonage est une illustration du mythe de Narcisse. Se refléter dans son clone revient à se refléter dans sa propre image. C'était alors une vue de l'esprit. Aujourd'hui, l'homme réinvente cette mythologie, mieux – ou pire –, il est susceptible de la mettre en application mais il souhaite, j'en suis absolument convaincu, que cela reste une vue de l'esprit. « Il suffit d'un homme ! » me dira-t-on. Qu'un seul, ivre de son pouvoir, fou au point de vouloir l'expérimenter, dépasse les bornes... Il risque d'y avoir des problèmes, ici ou là, mais je suis quand même assez heureux de constater à quel point la conscience universelle réagit de manière unanime et rapide. Ainsi, le clonage reproductif de Dolly transposé à l'homme s'est vu très vite opposer une condamnation unanime. La communauté internationale a formellement condamné la pratique du clonage à visée reproductive. Il reste à concrétiser cette interdiction par des dispositions réglementaires internationales.

11

LA DIMENSION SACRÉE DE L'HUMANITÉ

L a mythologie moderne... On pourrait voir là une image poétique. En fait, la mythologie moderne est purement scientifique. Tout ce qui a fait rêver pendant des millénaires, tout ce qui a semblé pure vue de l'esprit est aujourd'hui non seulement réalisable, mais tangible, concret et bientôt dépassé, grâce aux progrès de la science.

Tout ceci est inattendu, bouleversant et... passionnant. J'ai abordé le fait, impensable il y a seulement une vingtaine d'années et bientôt dans les mœurs de chaque jour, de la séparation entre la sexualité et la reproduction. Avec le clonage, nous faisons encore un nouveau pas, il n'y a même plus de fécondation. Et ces expériences faites chez l'humain de manière un peu ambiguë, critiquable, ne vont pas sans évoquer la transgression. Récemment, des chercheurs américains ont fait une expérience à partir d'un ovule de vache dont ils ont enlevé le noyau pour le remplacer par un noyau humain et ils ont commencé d'observer, non pas « une jolie fleur dans une peau de vache », ainsi que le chantait Brassens, mais un début de développement d'embryon dont on n'imagine pas exactement ce qu'il aurait donné au terme de l'expérience. Nous ne sommes pas préparés à voir se promener des centaures dans nos rues...

De ce fait, se pose alors un certain nombre de questions sur la signification des mots, et plus encore sur la nature des enjeux.

À partir de cellules totipotentes, on peut imaginer des débouchés et des avancées thérapeutiques considérables. On peut envisager également de fabriquer des lignées cellulaires sanguines pour corriger et soigner les leucémiques, des cellules musculaires pour guérir les myopathes, des cellules neurologiques pour guérir la maladie de Parkinson comme celle d'Alzheimer. Bref, on peut parfaitement imaginer fabriquer demain les cellules dont on a besoin, comme on le voudra, à partir de cellules totipotentes. La question devient alors de savoir comment se les procurer.

Il y a deux possibilités. La première consiste à utiliser directement des embryons humains au tout début de leur développement. En effet, à cette période, chaque cellule est totipotente puisque capable, toute seule, de donner un embryon normal, comme le démontre le phénomène de la gémellité. En effet, un unique embryon divisé en deux, trois ou davantage, donne des jumeaux, des triplés, ou... davantage ! C'est évidemment la solution la plus facile devant la profusion d'embryons humains, lesquels, je le souligne, ne coûtent rien. On comprend les questions que cela ne manque pas de soulever. A-t-on le droit d'instrumentaliser les premiers stades de la vie humaine dans une démarche, après tout, sacrificielle ? A-t-on le droit d'utiliser les premiers stades de cette vie humaine, même à des fins thérapeutiques ?

On pourrait alors, sous forme à peine caricaturale mais traduisant l'esprit de la méthode, imaginer des unités de production avec, à l'entrée, la livraison des spermatozoïdes et des ovules, les conceptions se faisant *in vitro* dans des chaînes robotisées. Au bout de quatre ou cinq jours pendant lesquels l'embryon a été chaudement incubé, on dissocie toutes les cellules qui sont éventuellement modifiées avant d'être mises en ampoules, prêtes à l'emploi, accompagnées à la livraison d'un guide thérapeutique. Si on entrait dans le chemin de l'instrumentalisation de la vie humaine, cela nous entraînerait probablement très loin.

Je trouve hypocrite l'argument selon lequel on ne va

pas créer des embryons pour la recherche, mais utiliser les seuls surnuméraires. Hypocrite parce que, on en a bien conscience aujourd'hui, la production d'embryons surnuméraires n'est pas une bonne chose, aussi les chercheurs s'efforcent-ils de trouver des mécanismes permettant, par exemple en amont, la congélation des ovules. Ce n'est pas encore possible car, si on sait congeler les spermatozoïdes, on ne sait toujours pas congeler les ovules. À partir du moment où on va décider de ne pas en fabriquer pour la recherche, mais de travailler sur les surnuméraires, on sera, c'est évident, approvisionnés par ricochet d'embryons qui auront sciemment été conçus pour cela, sans vouloir le reconnaître.

En revanche, j'en suis absolument convaincu, les cellules totipotentes sont une avancée médicale considérable pour le siècle à venir. À la condition de trouver comment les créer autrement, quitte à ce que soit par transfert de noyaux cellulaires, il faut envisager le problème sérieusement. Je suis davantage choqué par l'emploi du mot « embryon » à propos d'une cellule ne résultant pas du fruit d'une fécondation que par le fait qu'on fabrique une cellule totipotente *de novo*.

Repousser les limites

Nous sommes à l'orée d'une ère nouvelle. L'homme repousse les limites de son intervention, il lui est bientôt nécessaire de repousser également celles de l'interdit et de la transgression. Et je suis totalement stupéfait de la rapidité des progrès, du décalage qu'il y a entre la réalité scientifique, entre les potentialités médicales d'une part et l'évolution de l'opinion publique d'autre part. Il y a une sorte de débat entre la raison et la passion.

Aujourd'hui, quand on parle d'embryon, l'imaginaire populaire aperçoit un nouveau-né en miniature à croupetons au fond d'une bouteille. Imaginer qu'on puisse congeler ou faire des expériences sur cette structure à visage humain paraît épouvantable. Quand on réalise qu'il ne

173

s'agit que de quelques cellules qui flottent au fond d'un tube, cela devient acceptable. Il n'en demeure pas moins que c'est l'essence même de la vie qui est en cause. L'homme peut-il s'aventurer dans ce domaine ? Dans une situation quelque peu difficile, face à un choix délicat, la conscience d'aujourd'hui, de ce que l'homme est, de ce qu'il peut devenir, est mise à l'épreuve.

Et ce ne sont pas là les seules questions, les seuls problèmes. Il y en a bien d'autres. J'ai déjà parlé du diagnostic pré-implantoire, qui se fait in vitro à un moment extrêmement précoce du développement embryonnaire où toutes les cellules sont totipotentes. Lorsqu'à partir d'une cellule, qu'on appelle blastomère, on fait une analyse qui révèle un gène malade, il y a deux hypothèses : soit on jette l'embryon, soit on essaie de le traiter. La facilité est de l'éliminer pour ne garder que les embryons de bonne qualité et normaux. La logique médicale est d'essayer de le soigner. Et si au gène malade correspond un gène normal disponible, on peut parfaitement imaginer transférer le gène normal. On corrige donc, ce faisant, le devenir génétique de l'embryon à un stade tellement précoce que l'on va corriger la totalité de ses cellules futures, y compris ses cellules germinales. C'est-à-dire ses ovules si c'est une fille, ses futurs spermatozoïdes si c'est un homme.

Cette thérapie génique, dite germinale, a pour conséquences non seulement la modification de l'être issu de l'embryon que l'on a analysé, mais également celle de sa descendance. On a donc là potentiellement le moyen de modifier le contenu génétique de l'espèce humaine. C'est pourquoi la première réaction a été de condamner la thérapie germinale en l'interdisant, ainsi que cela est précisé aujourd'hui dans les lois de bioéthique de 1994. Et pourtant, chacun comprend bien que la logique médicale veut que l'on s'engage vers le traitement et donc, sur le fait qu'un gène anormal soit corrigé, à la fois chez l'être issu de cet œuf et chez sa descendance. Ce qui paraît logique. Là encore, on est à l'orée d'une ère nouvelle et il est évident que ce ne sont pas tant les méthodes qui sont à critiquer que l'utilisation qui en sera faite, l'utilisation qui en sera retenue. Ce n'est pas une problématique nouvelle, mais c'est la puissance des techniques en cause qui est préoccupante.

J'en reviens à la comparaison que j'ai déjà faite avec le nucléaire. Tout le monde comprend bien que le nucléaire est indispensable, non seulement pour l'énergie, mais pour traiter les cancers et bien d'autres maladies. En revanche, il n'est pas souhaitable de fabriquer une bombe avec le nucléaire. Chacun peut comprendre que la thérapie germinale est une bonne chose pour soigner une maladie, en revanche, ce n'est pas une bonne chose à partir du moment où il s'agit de modifier l'espèce humaine.

C'est pourquoi ce ne sont pas les méthodes qu'il faut critiquer en tant que telles, mais les finalités qui sont poursuivies.

Les transplantations

D'autant que nous voulons tous vivre plus longtemps, et bientôt ne plus mourir. Arrêter la mort. Par exemple en utilisant les organes de l'un d'entre nous dont la vie vient de s'arrêter et qui, par conséquent, n'en a plus l'utilité. Où serait le mal, dans le fait d'aller lui prendre quelques organes pour permettre à d'autres de vivre ? À partir de ce moment-là, on voit les questions qui se posent, on voit la problématique, on voit également surgir d'autres doutes et interrogations.

La première consiste à dire : « Attention, on ne peut pas amputer un mort qui ne peut plus se défendre, qui ne peut plus dire qu'il est d'accord ou pas. » La notion du respect du mort est suffisamment développée pour susciter de nombreuses hésitations. Ce qui est heureux. On en vient à la notion de consentement présumé, du respect de la famille, on s'entoure de précautions. Mais il y a pénurie, pas assez de dons spontanés pour sauver ceux qui pourraient l'être et qui restent de ce fait dans le couloir de la mort. Pour y remédier, est d'abord née l'idée de prélever des organes sur quelqu'un qui a donné son accord clair et incontestable, son accord écrit. Ce qui n'a rien changé. Non par mauvaise volonté ou opposition, mais par négligence, tout simplement.

Je l'ai vérifié moi-même de très nombreuses fois. Quand face à un auditoire de 100 à 200 personnes, vous posez la question : « Qu'ils lèvent la main, ceux d'entre vous qui ont dans leur portefeuille ou dans leur poche un petit papier sur lequel est écrit : "En cas de décès accidentel, je suis d'accord pour qu'on prélève sur mon corps mes organes." » Une, deux mains se lèvent... rarement davantage.

Je pose alors la question sous une autre forme : « Quels sont ceux qui, en cas de décès accidentel, seraient d'accord pour qu'on prélève leurs organes ? » Toutes les mains se lèvent ou presque, dans une unanimité encourageante. Autrement dit, il y a une sorte de décalage entre la pensée, les désirs et les actes. Cela se comprend, car il est tout de même un peu particulier, cet acte qui consiste à s'installer, prendre un papier et écrire : « En cas de mort accidentelle, je suis d'accord pour qu'on prélève mes organes. » On hésite toujours à envisager sa propre mort, aussi très peu nombreux sont ceux qui passent à l'acte de l'écriture. Après la première réaction : « On ne peut pas se passer de l'avis du mort », on décide d'inverser la démarche et de considérer comme étant consentante toute personne qui n'aurait pas exprimé clairement son refus. Parce que la collectivité a besoin d'organes, on inverse la charge de la preuve. Il n'a pas dit non, il ne l'a pas précisé, il ne l'a pas écrit... ce qui signifie qu'il accepte. Pour la première fois, une décision est prise qui fait primer l'intérêt collectif sur l'intérêt individuel et pour l'instant prévaut. C'est la règle du consentement présumé adopté en 1976.

À l'extrême, une autre position, celle qui consiste à dire : « Quand un homme est mort, ses organes deviennent la propriété de l'État », comme si on devait en quelque sorte nationaliser les cadavres. Cette position a été récemment argumentée par un parlementaire britannique alors que je présentais un rapport sur la transplantation d'organes au Conseil de l'Europe. Elle repose d'ailleurs sur des raisonnements de philosophes qui ne sont pas des moindres, François Dagognet notamment a développé ce point de vue. Pour lui, ces questions autour du bien-fondé de la transplantation sont absurdes : d'un côté, des vivants sont en train de mourir dans les hôpitaux, de l'autre il y a des cadavres sur lesquels on ne peut pas prélever au motif qu'il n'y a pas de consentement écrit. La collectivité pourrait décider qu'à partir du moment où quelqu'un est mort, ses organes ne lui appartiennent plus, ils n'appartiennent d'ailleurs plus à personne, et on les prélève de plein droit. D'un côté le respect du mort et de l'autre la nationalisation des corps, les deux opinions s'opposent, et les départager n'est pas toujours aisé. Le respect du mort est important et je refuse son appropriation par la collectivité, mais je suis plutôt favorable au consentement présumé, compte tenu de la négligence de beaucoup de gens qui retardent le moment d'écrire une autorisation.

J'ai toujours en tête un exemple très précis. J'étais alors de garde en réanimation infantile, où un enfant de deux ans est mort. J'annonce la catastrophe aux parents et, après mille précautions, je leur pose la question : « Seriez-vous d'accord pour qu'on prélève ses organes ? », ce qui était éminemment délicat. Cela l'était tellement qu'ils m'ont répondu : « Docteur, vous avez été très gentil, continuez et laissez-nous en paix, ce n'est pas notre problème. » Je n'ai bien sûr pas insisté, il n'y a pas eu de prélèvement. Or, des prélèvements sur un enfant de deux ans sont précieux parce que rares, et qu'ils permettent de sauver d'autres enfants qui ont deux à trois ans, eux aussi.

Six mois plus tard, ce couple est venu me voir à nouveau : « On veut vous remercier et vous dire aussi que si vous vous trouvez à nouveau devant le même cas, vous devez insister davantage auprès des parents parce que, avec le recul, nous avons réfléchi et, à distance, on regrette de ne pas l'avoir fait. » Ils m'en ont presque fait le reproche. Je leur ai rétorqué : « Mais vous n'étiez pas prêts, vous ne pouviez pas entendre. » Ils en ont convenu : « C'est vrai, mais vous auriez dû insister, pourquoi ne pas nous avoir brusqués ? Cela n'aurait rien changé, ni pour lui, ni pour nous, il était mort... Mais on aurait pu en sauver un autre. »

Voilà bien une difficulté à surmonter. Et là encore, le médecin est un passeur d'univers, il peut faire passer les morts chez les vivants, les vivants chez les morts. Je trouve cela fascinant.

Pénurie d'organes

Il en découle deux autres questionnements. Le premier vient en conséquence immédiate. Malgré le consentement présumé, malgré les campagnes d'information et de presse, nous avons une pénurie d'organes. Et, dans certains pays, notamment les pays anglo-saxons, l'idée est venue aux transplanteurs de dire que, après tout, les morts ne sont pas les seuls susceptibles de donner leurs organes. Pourquoi les vivants n'en donneraient-ils pas ? Tout homme a deux reins, il arrive que certains n'en aient pas... Pourquoi ne pas envisager de partager, d'en donner un ? Ainsi commence à se développer la notion que le recours à des donneurs vivants pourrait se généraliser. Je suis personnellement opposé à cette banalisation, ce pourquoi, dans la loi que j'ai rapportée en 1994, j'ai souhaité limiter le don d'organes entre vivants au premier degré de parenté. Dès que la parenté n'est pas très proche, dès qu'on passe aux cousins, oncles et tantes, j'estime que tout devient aléatoire.

À Strasbourg, au comité directeur de bioéthique, on prépare un texte dans lequel il est dit que les dons d'organes entre vivants peuvent se faire à la condition qu'il y ait entre les personnes une relation appropriée. Encore faut-il préciser ce qu'on entend par « relation appropriée ». S'agit-il d'un mari et de sa femme, de parents et leurs enfants, d'oncles et cousins, de tantes et nièces, de partenaires en union libre, ou ayant contracté un Pacte civil de solidarité (Pacs) ? Grand silence. Personnellement, je travaille pour m'opposer à ce type de disposition. Je peux comprendre le geste d'un mari qui propose spontanément un de ses reins pour sa femme, d'une femme qui réagit de même, d'une mère ou d'un père qui offre son rein pour son enfant. Mais qu'il y ait, par le fait de l'élargissement des possibilités, un malade dont le regard chargé de concupiscence s'arrête sur une de ses relations pour savoir qui pourrait bien lui donner cet organe tellement nécessaire à sa survie, ce serait malsain. D'autre part, cela donnerait libre cours à d'éventuelles pressions d'ordre moral, voire financier. On imagine un oncle disant à son neveu : « Je te fais mon légataire universel si tu me donnes un de tes reins... »

Il serait, de plus, inconscient de négliger les conséquences que ce genre de dons peut avoir sur la santé et l'équilibre du donneur. Si on est pourvu de deux reins, c'est bien parce qu'un des deux peut être déficient. Que faire si on en a déjà donné un ? Arrive un moment où il faut situer une barrière et, là encore, c'est le bon sens qui doit s'exprimer. Il est nettement préférable d'aller vers l'extension de dons à partir de cadavres, car je trouve extrêmement dangereuse la banalisation du don à partir de vivants.

Le prix de la personne

Autre questionnement sur ce sujet, quelle serait l'éventuelle valeur marchande d'un organe ? On imagine très bien un chômeur de longue durée, dans une situation précaire, ayant charge de famille et se trouvant en fin de droits... Il décide alors de vendre un de ses reins. Lorsqu'à nouveau il aura besoin d'argent, il pourra envisager de vendre un ou deux lobes pulmonaires, puis un lobe hépatique, et pourquoi pas, entre-temps, un peu de sa moelle osseuse, ce qui n'est pas très grave puisqu'elle se régénère, voire quelques centimètres carrés de peau afin de permettre la culture de peau nécessaire au traitement des grands brûlés. Ainsi, son corps devient son propre fond de commerce. Certains libéraux répondront que chacun est libre de disposer de son corps. « Mon corps m'appartient », pourquoi pas. On aboutit assez vite à un effet pervers si on entre dans cette logique.

Supposons qu'un rein vaille cent mille francs, deux lobes pulmonaires également, ainsi qu'un lobe hépatique. Lorsqu'on additionne la totalité des valeurs de chacune de ses pièces détachées, un être humain obtient une valeur totale qui correspond à sa valeur marchande sur pied. Ce qui revient à donner un prix à une personne, comme au temps de l'esclavage. Et il est tout à fait évident que, si on accepte ce principe, on entre dans un système pervers de commercialisation du corps humain où les riches pourront se payer les organes des pauvres, ce qui est totalement abject et insupportable. Nous n'allons tout de même pas revenir à l'époque où l'on pouvait acheter un conscrit. Où le fils du seigneur payait celui du métayer pour qu'il aille se faire tuer à sa place ! Il est heureux que la médecine soulève toutes ces questions, mais elle ne peut pas apporter tous les éléments de réponse en même temps. Elle a successivement trouvé les méthodes de prélèvement et de transfert chirurgical, lesquels prélèvements se font dans des conditions chirurgicales optimales. Elle développe les remèdes pour lutter contre les phénomènes de rejet qui demeurent parfois un problème, mais se dominent de mieux en mieux. Parce qu'il y a encore pénurie et difficultés, elle s'oriente maintenant vers la fabrication d'organes artificiels, de prothèses, dont on peut se demander s'ils verront le jour, car nous avons un certain retard dans ce domaine. Le cœur artificiel a beau n'être qu'une pompe, il est délicat à mettre au point !

Et les animaux...

De plus en plus, on parle de xéno-transplantations. Son application même repose sur les trois points essentiels que j'ai déjà soulignés.

1. le nombre de malades qui sont dans l'attente d'une transplantation possible ;

2. le fait qu'il n'y a pas assez d'organes humains pour greffer tous ceux dont l'état nécessite une greffe ;

3. le retard des prothèses artificielles dont on ne sait pas si elles verront le jour avant longtemps.

On se tourne alors vers les animaux et on se rend compte que le cœur du porc, à quelques détails près, pourrait être parfaitement compatible avec une greffe sur l'homme. La recherche sur la xéno-transplantation est en plein essor. Cela pourrait poser des problèmes éthiques et religieux mais, à ma grande stupéfaction, ils ne sont pas là où on aurait pu les attendre. Même ceux qui refusent de manger du porc ne semblent pas opposés à la greffe d'un cœur de porc !

En revanche, les risques infectieux sont réels et ne peuvent être négligés. Le problème des maladies que pourrait transmettre le porc, à la manière de la vache folle, incite à mon avis à une très grande prudence. De même, les aspects immunologiques sont majeurs. Quand on greffe un organe d'humain à humain, il y a un rejet immunologique très fort. Plus préoccupant encore, car le porc a son patrimoine génétique de porc, quand on greffe à un humain un cœur porcin, il y a un rejet suraigu.

Mais à jouer les apprentis-sorciers, on ne va pas s'arrêter à ça ! Déjà, on pense à introduire chez les embryons de porc des gènes humains et faire en sorte que, devenu adulte, leur cœur soit immunologiquement humanisé. Le transfert d'un cœur de porc humanisé diminuerait donc la violence de la réaction immunitaire, ce qui est tout à fait logique.

Lorsqu'on parle transplantation, l'opinion s'inquiète des maladies éventuelles, mais pas parce qu'on va implanter des gènes humains sur un porc afin de récupérer le cœur ainsi humanisé, et le greffer chez l'homme sans risque de rejet. Autrement dit, à partir du moment où il y a espoir de guérison, personne ne s'oppose !

181

Le droit romain, les personnes et les choses

Ce qui signifie que notre société doit clairement définir et déterminer – parce que ce n'est pas un problème de médecins ni de scientifiques – les critères d'équité dans l'accès à ces soins permettant de guérir des condamnés par la maladie. Ce n'est pas un problème relevant uniquement de la médecine. Les médecins se tournent vers la société en demandant ce qu'il faut faire pour que chacun soit sensibilisé, que les familles soient mieux préparées, afin que l'on distribue, de manière équitable, les moyens thérapeutiques destinés à guérir.

La transplantation d'organes aboutit à une problématique de société qui se double d'un problème de droit. Nous avons hérité des Romains leur droit qui sépare les personnes et les choses. Le corps est naturellement assimilé à la personne car il disparaît, comme il arrive, avec la personne. Or, maintenant, le corps, dont on peut prendre une partie et la greffer chez un autre, est devenu une bien étrange chose qui ne se confond pas tout à fait avec la personne, puisqu'elle peut se transférer. Il fallait donc que notre société l'édicte : désormais, entre les personnes et les choses, existe le corps humain au statut particulier.

Un être humain reste un être humain

Voilà la problématique des transplantations d'organes, avec derrière un enseignement majeur. Si j'enlève un rein à un patient auquel je greffe un rein artificiel, si je remplace un poumon, un cœur, deux cornées, pour autant, je n'atteins pas son humanité. Autrement dit, notre humanité n'est pas dans nos organes et, assez rapidement, l'ensemble des progrès de la médecine arrive à démontrer ce que la science n'arrive pas à démontrer par elle-même. L'humanité de l'homme n'est pas contenue dans du matériel, dans du palpable, dans du tangible. On peut poser toutes les prothèses de hanche, on peut remplacer l'ensemble des organes, y compris par des organes animaux, un être humain reste toujours un être humain. Parce que l'humanité repose probablement dans cette dimension sacrée, immatérielle, qui sommeille au fond de cette conscience que l'on perçoit sans pouvoir vraiment la définir. C'est d'ailleurs toute la condition de l'homme qui est en cause, tout son mystère – car l'homme est mystère.

D'un côté l'infiniment petit, de l'autre l'infiniment grand... On prend conscience que ce qui fait l'humanité et la grandeur de l'homme est hors du temps et de l'espace. L'homme ne peut pas s'accommoder de la dimension temporelle, c'est une des raisons pour lesquelles je crois à l'éternité.

Le corps, ce corps qui n'a pas de valeur marchande en soi, va pouvoir éventuellement être remplacé par le corps d'un autre en pièces rapportées qui peuvent même provenir d'animaux, mais son humanité est toujours là. Et lorsque ses organes vont cesser d'être animés, cela ne va pas porter atteinte à l'homme dans son humanité car elle est dissociée. Cette dimension qu'il abrite, qui l'anime au sens vrai du terme et qu'on appelle âme, esprit ou intelligence, selon les croyances de chacun, restera donc indéfinissable, impalpable, invisible.

J'en ai parfaitement conscience, ce que j'exprime là relève de la foi et non pas de la certitude objective. Pour qui est strictement matérialiste, cette appréciation n'a évidemment aucune raison d'être. Pour lui, l'humanité réside dans le seul assemblage de pièces détachées sans qu'on puisse bien savoir quand cette humanité commence. De même, pour les matérialistes, la vie s'arrête à l'instant de la mort, sans que l'on sache exactement la situer. Peu importe d'ailleurs, à partir du moment où on considère que tout est matière, vient de la matière et retourne à la matière.

Personnellement, je suis convaincu du contraire. Sans raison objective, sans pouvoir démontrer ce que j'admets comme un mystère, un mystère commun à toutes les religions. Sans preuve scientifique aucune, je crois en un souffle de vie qui a animé l'inanimé. Je viens de dire, sans preuve scientifique. Voire ! On peut discuter de certaines constatations. Ainsi, la molécule de vie est aujourd'hui connue pour être la molécule d'ADN. On a identifié sa structure et on peut synthétiser l'ADN mais, chose tout de même extraordinaire, on n'a jamais pu le faire vivre. Ainsi, ayant fabriqué un chromosome synthétique, il faut le mettre dans un cytoplasme vivant pour que lui-même s'anime.

Bien sûr, on peut me rétorquer : « On crée cependant la vie en éprouvette. » À ceci près que l'ovule est bien vivant, le spermatozoïde aussi. Bien sûr, on peut m'objecter : « Il est possible de fabriquer en laboratoire un gène de synthèse. Il suffit de l'injecter dans une cellule et ce gène va fonctionner et vivre. » Oui, mais là encore, on l'a incorporé à de la vie et, en définitive, je ne suis pas certain que l'on puisse jamais créer la vie *ex nihilo*. Autrement dit, on peut se servir de la vie pour animer ce qui ne l'était pas et qu'on a éventuellement fabriqué, mais on ne crée pas la vie. Malgré tout ce que l'on peut inventer en termes de synthèses chimiques, biologiques et autres, on la transfère, on la communique, on la donne... mais uniquement à partir du vivant.

Je l'avais toujours confusément perçu, mais jamais je n'avais formalisé aussi simplement, ni même réalisé, combien l'homme demeurait un mystère total avant d'être obligé de l'expliquer en termes clairs à des adolescents, pour les besoins de deux ouvrages destinés aux élèves des collèges et des lycées.

Si on s'en tient à la Genèse, Adam a été créé à partir d'une motte de glaise, Ève, à partir de la côte d'Adam, ils ont ainsi été créés de toutes pièces, à l'image de Dieu. Expression assez fabuleuse en soi, car personne n'a jamais vu une image de Dieu ! La terre et l'homme auraient été créés tels que nous les connaissons. Mais lorsqu'on y réfléchit de manière un peu plus pragmatique, on s'aperçoit que les idées sur le sujet ont changé avec les découvertes scientifiques. On admet aujourd'hui que les végétaux, les animaux et toutes les formes de vie terrestre ont évolué à partir d'organismes simples dont les plus vieux fossiles identifiés sont des algues et des organismes unicellulaires. On est amené à recevoir comme vraie, ce qui a bouleversé l'Église et ses croyances, la théorie de Darwin selon laquelle l'évolution des espèces se serait faite en fonction de leur adaptation directe au milieu, expliquant l'évolution des espèces par la sélection naturelle. Du magma à l'algue bleue, de nos cousins primates à l'homme... Les premières traces de la vie sur Terre ont été trouvées dans des roches formées il y a 3,8 milliards d'années. Si l'on veut rester logique, l'évolution de l'homme d'aujourd'hui est loin d'être terminée. Sur quelle distance se poursuivra-t-elle ?

Nous pouvons difficilement concevoir une projection dans le temps au-delà de trois, voire quatre générations, sauf avoir des références culturelles dans le passé. S'interrogeant sur leur généalogie précise, peu d'entre nous seraient susceptibles de l'interpréter sans difficulté, au-delà de la troisième génération. Cela signifie simplement que l'homme, dans son propre lignage, est limité généralement à trois générations lorsqu'il s'agit de ceux qui l'ont précédé, de ses ascendants, et probablement deux ou trois pour ce qui est de ses descendants. Étant au centre du système, l'homme peut faire référence à sept générations au mieux, la sienne y compris. Si l'on considère que le temps qui sépare chaque degré de filiation est en moyenne de vingt-cinq ans, on peut raisonnablement appréhender un siècle et demi, deux siècles au maximum. Or, nous raisonnons, en termes d'évolution de la vie, en milliards d'années ! Ce que l'esprit humain ne peut absolument pas imaginer, conceptualiser, ni transposer. 10 000 ans, 100 000 ans, 1 million d'années... Tout ça se brouille bien vite !

Grâce à la fameuse Lucy qui vivait dans l'Hadar éthiopien il y a 3 à 4 millions d'années, nous savons à peu près d'où vient l'homme. Bipède et grimpeuse, elle habitait la forêt, son cerveau était sensiblement de la taille de celui d'un singe, elle présentait une face prognathe et s'apparentait à un chimpanzé. Il est évident que l'homme d'aujourd'hui n'est pas fini, qu'il va continuer son évolution, mais nous ne savons absolument pas dans quelle direction. Est-ce que son crâne va grossir ? Ses jambes s'atrophier ? Que va-t-il se passer, et pour quelle finalité ? Retour à la loi de la jungle ou, au contraire, village planétaire ? Uniformisation ou diversification ? Extinctions massives ou explosions de vie ? Les enjeux pour notre espèce, demain, sont majeurs. Plus que jamais, l'homme qui désormais appréhende mieux les mécanismes de l'évolution du monde vivant auquel il appartient doit se sentir responsable de ses choix pour l'avenir.

Poussière organisée

Je me pose toutes ces questions parce que, j'y reviens, je crois à l'esprit, ce qui explique que j'adhère aux thèses de Teilhard de Chardin. J'essaie de concilier ma reconnaissance de l'évolutionnisme et les dogmes de la foi chrétienne. Je sais que nous venons de l'alpha sur lequel on s'interroge encore – la théorie du Big Bang est controversée –, en revanche, quel est l'oméga ? Je ne sais pas. Mais si l'humanité va vers l'oméga, il est clair que la notion d'éternité s'applique à l'homme. Plus j'y réfléchis et plus je suis convaincu que nous ne pouvons pas nous en tenir à des références matérialistes. Chacun tend soit vers l'existentialisme, soit vers l'essentialisme, et c'est mon cas. À mon avis, l'existentialisme, qui considère l'existence de son début à sa fin – il n'y a rien avant, il n'y a rien après –, est difficilement compatible avec la spiritualité. Je conçois mal qu'une existence puisse être spirituelle en tant que telle et ensuite disparaître.

Essentialiste, ai-je tort ou raison, j'ai voulu construire une chapelle dans ma propriété, parce que je crois à la force des symboles, à la puissance de la trace qu'on laisse et qui ne se matérialise pas forcément dans le sable, dans la terre, dans la pierre, ou par une photo, une signature, un écrit. Je pense qu'il y a bien autre chose et, sans y adhérer pour autant, je ne suis pas totalement insensible à la vision panthéiste des bouddhistes, des shintoïstes, quand ils considèrent que la vie est une et globale et qu'elle se renouvelle en permanence sous des formes différentes. Et si je n'adhère pas à cette interprétation du monde, je trouve qu'elle n'est pas totalement dénuée de fondement. Elle a l'habileté de bien marier le matérialisme et le spiritualisme. À partir du moment où l'homme est poussière et redevient poussière, pourquoi cette forme de poussière organisée ne redeviendrait-elle pas poussière également organisée sous forme de vache, de baobab, de chrysanthème ou de zèbre ? La différence n'est pas dans la nature de la poussière elle-même mais dans la nature de la vie qu'elle abrite. L'homme appartient au monde vivant, cette vie est propriété commune et l'on doit éminemment la respecter. Ma conception de l'homme, de la vie, est une conception chrétienne. Catholique par conviction, je n'en ai pas pour autant le petit doigt sur la couture du pantalon. Volontiers rebelle et turbulent lorsqu'il s'agit de faire bouger les choses, je revendique toujours davantage de place à la conscience individuelle et à la responsabilité, car j'aime cette notion de liberté, de responsabilité individuelle. J'accepte l'idée d'avoir un jour à m'expliquer.

Au bas des plans de ma chapelle, l'architecte a mis un *nota bene* que je trouve extraordinaire : « espacement prévu pour bancs catholiques ». Dans l'église catholique, les bancs sont à une distance d'un mètre les uns des autres, chez les protestants ils sont à quatre-vingts centimètres car il n'y a pas de prie-Dieu. Le protestant est debout devant Dieu, il rend compte, libre et responsable, ce qui me séduit bien davantage que l'agenouillement. Je dois tenir cette fierté excessive de mon grand-père, le « petit Jean ». Il allait à l'église pour les fêtes carillonnées mais : « Moi, m'agenouiller ? Jamais ! » disait-il... Évidemment on ne peut pas, en matière de religion comme dans bien d'autres domaines, choisir ce qui vous convient le mieux, ceci ou cela, ici ou ailleurs...

J'en reviens à ce que je voulais exposer : pour moi, de façon indubitable, ce qui donne la valeur à la vie, c'est cette notion qui nous échappe. Esprit ? Souffle ? Âme ? Qu'importe, mais voilà pourquoi il faut respecter les morts, respecter le rite funéraire. Et que l'on ne m'oppose pas, lorsque je parle du respect dû aux morts, le fait que je sois en faveur de la transplantation d'organes.

Lorsque les corps parleront

Dans l'Évangile, il est fait allusion à la résurrection des morts. Aujourd'hui, avec les transplantations, on peut se poser la question : comment pourront-ils ressusciter alors qu'ils ont été amputés d'un organe ? L'Église catholique a donc beaucoup réfléchi sur la transplantation, il a fallu une exégèse, une révision des textes avant qu'on comprenne et qu'on admette.

Pourquoi la transplantation ? Sur ce thème, j'ai eu des entretiens avec des imams, avec le recteur de la grande mosquée de Paris. Ils m'ont cité une sourate du Coran : « Et à la fin des fins, lorsque les corps parleront... », ce qui signifie exactement ce que dit l'Évangile. Désormais, la transplantation d'organes est autorisée par les musulmans. Les derniers bastions tombent, les Japonais eux-mêmes viennent de l'accepter, ce qui veut dire que peu à peu, on interprète les textes de façon de plus en plus précise et subtile, et surtout à la lumière de notre époque. Quand on regarde un paysage, en effet, il n'est pas le même selon l'heure, il n'est pas le même au soleil levant, en plein midi, au soleil couchant, par temps de nuages ou par légère brume.

Les textes auxquels nous faisons référence ont été écrits, réécrits, traduits, retraduits, transcrits, et probablement un peu remaniés à chaque étape en fonction des perspectives de l'époque. Aujourd'hui, ils font l'objet d'interprétations qui doivent être mises à jour en fonction des nouvelles connaissances.

Je suis convaincu, à titre individuel, que le respect de la vie sans compromission est le fondement, en laissant aux consciences le soin de pouvoir transgresser sans encourir les foudres du jugement. Mais je ne vois pas comment l'Église catholique peut rester moderne, comment elle peut rester présente au monde, comment elle peut séduire les jeunes quand, trente-cinq ans après, elle condamne toujours la pilule contraceptive. Je le souligne, je ne parle pas de l'avortement, je parle de la contraception et je pense qu'à ce sujet, il va falloir qu'il y ait des changements, un mouvement, une évolution. Il ne s'agit pas de renier ce qui est essentiel, mais de l'interpréter différemment et tenir compte des trente-cinq années qui se sont écoulées et pendant lesquels la société, les mœurs et les mentalités ont évolué. Il faut regarder les changements avec calme et lucidité quand on sait que déjà aujourd'hui – paradoxe – neuf paroissiennes sur dix vont à l'église et communient sans le moindre état d'âme à la messe du dimanche tout en prenant la pilule et, par conséquent, sont en contradiction formelle avec ce qui est en principe prescrit par l'Église. Elles le font en conscience, ce qui est typiquement une transgression... Je pense que l'Église ne pourra plus très longtemps s'éviter une réflexion renouvelée sur l'idée même de la conception de la vie, parce que la science lui donne de nouveaux éléments. Déjà elle a dû revoir sa conception du monde, qui n'était plus un monde anthropocentrique après Galilée, elle a dû comprendre que l'image d'Adam et Ève était certes séduisante mais qu'après la théorie de Darwin, elle n'était plus acceptable. Il lui faut aujourd'hui interpréter les textes différemment au regard de la Genèse, sous peine d'un divorce de plus en plus accentué avec ses fidèles. Comment les jeunes pourraient-ils se reconnaître dans certaines de ses positions ? L'immense succès des Journées mondiales de la jeunesse prouve un besoin de spiritualité, de ferveur, de valeurs retrouvées, mais cela n'est pas incompatible avec la modernité. Là encore, j'en ai conscience, on ne peut pas tout faire en même temps et on ne peut pas demander à un pape plus que sa mission. Aujourd'hui, à la fin de son pontificat, fatigué, et on le serait à moins, Jean-Paul II ne peut engager lui-même un mouvement de réflexion et de renouvellement de l'exé-

189

gèse aussi profond. Il reviendra à son successeur de le faire. Je l'espère. En attendant, il faut que l'Église évite les excès, sachant que ce n'est pas simple. Il est d'ailleurs étonnant, dans cette même Église catholique, de voir, face à face, un monseigneur Gaillot et un monseigneur Lefèvre, ou leurs semblables. Monseigneur Lefèvre en a été exclu, il est mort, mais il a ses émules. Monseigneur Gaillot, lui, défile pour le Pacs et les homosexuels. Ces opinions opposées font la force de l'Église, à condition qu'elle n'oublie pas l'essentiel. Elle est multiforme, elle est à multifacettes, mais il faut se garder, sous prétexte de convictions affirmées, de quelques groupes plus militants que d'autres qui s'engageraient dans des actions de terrorisme de la pensée et nous ramèneraient au temps de l'Inquisition, ce qui est toujours possible. Pour l'avoir vécu moi-même, je sais ce que c'est que d'être agressé par ceux qui, se sentant fragiles, peut-être même menacés, s'en tiennent à des règles très strictes d'un autre temps. Quand on a peur de l'avenir, on se réfugie dans le passé, cela se fait toujours, ce qui explique également les ayatollahs, le FIS ou tous les intégrismes. L'islam est organisé sur un certain nombre de règles, l'homme et la femme ont des rôles différents et le fait que la modernité de l'islam, l'islam laïque, accepte la libération de la femme, provoque des réactions, des retours en arrière chez les plus fondamentalistes, qui sentent la modernité avancer comme un danger. Ce que l'on retrouve chez certains catholiques lorsqu'ils s'élèvent contre le divorce, l'IVG, les embryons au congélateur, demain les cellules embryonnaires cultivées pour traiter les malades.

Au sein même de l'Église, le fossé se creuse. Il y a d'un côté ceux qui sont présents, attentifs à ce qui se passe dans le monde, et de l'autre, ceux qui campent sur leurs positions, sans le moindre doute, la moindre ouverture d'esprit. C'est à mon avis avec raison que neuf évêques allemands s'élèvent lorsque le Vatican les déclare « complices de meurtre » au prétexte qu'ils écoutent et assistent des femmes en détresse au moment où elles décident de poursuivre ou interrompre leur grossesse. En

Allemagne, l'avortement est autorisé à la condition toute-fois que la femme ait auparavant consulté un conseil. Composé de laïcs et de catholiques, celui-ci n'interdit pas plus qu'il n'autorise... il conseille. Et monseigneur Leh-mann, président de la conférence épiscopale allemande, se fait fort de rappeler que cette « écoute » évite environ 5 000 avortements chaque année puisqu'une femme sur quatre décide alors de garder son enfant.

En condamnant de la sorte, le Vatican est en parfaite contradiction avec l'Évangile qui dit : « Un seul juste et je sauverai la ville... »

Il ne faut pas confondre ses propres convictions avec les règles communes. Il ne faut pas remplacer son devoir de mission par un devoir de contraindre. Il y a tant de force dans l'exemple d'un témoignage qu'il vaut toutes les manifestations de violence. C'est vrai, la vie moderne souvent artificielle et mensongère fait le lit de la facilité et de la compromission. Il est bien difficile aujourd'hui de prêcher dans le désert. Mais il faut que l'Église se rappro-che des fidèles en tenant compte de leur sensibilité et de leurs préoccupations contemporaines.

C'est pourquoi j'ai une réelle admiration pour les prê-tres de terrain qui s'efforcent de concilier l'inconciliable. Eux savent la véritable valeur des âmes au-delà des écarts à la règle formelle. La curie, elle, me semble si lointaine...

PREMIER BILAN

12

POUR UN RETOUR À LA SAGESSE...

J e choisis de faire confiance à l'homme, il suffit pour
cela de regarder l'histoire de l'humanité depuis ses origines. Malgré les désordres qui l'ont secouée, malgré les
guerres, malgré les révolutions, les grandes épidémies,
les violences et aujourd'hui la vache folle, le sida, la drogue, l'alcoolisme, le tabac, la pollution atmosphérique...
l'humanité a évolué dans le bon sens.

Nous vivons dans une société où les hommes naissent
libres et égaux en droits, une société qui progresse et
dont chaque composante s'est améliorée. Nous vivons
mieux et plus heureux que dans nos campagnes, quand
il y avait les serfs, qu'il fallait payer la taille et la gabelle...

On se préoccupe toujours de ce qui se passe dans son
champ de vision et dans sa tranche de vie, mais si on
veut réfléchir dans un plan large, il est évident que depuis
son apparition, l'humanité a progressé. Ce pourquoi, globalement, j'ai plutôt confiance en l'homme. L'humanité
continue de nous donner des personnages comme mère
Teresa, des gens d'une haute élévation morale, intellectuelle, qui sont des phares, des repères et qui permettent
de croire à un idéal.

L'espérance de vie a augmenté de façon importante, les
femmes vivent en moyenne jusqu'à quatre-vingt-deux ans
et les hommes soixante-quatorze, c'est deux fois plus
qu'il y a quelques siècles. On a aboli l'esclavage au siècle
dernier, on a supprimé l'apartheid, peu à peu nous allons
vers la libération des peuples, même si ce n'est pas tou-

jours facile ainsi qu'on a pu le voir récemment, pour ne faire allusion qu'aux tout récents conflits du Kosovo ou du Timor. Oui, je fais confiance à l'homme dans la durée, mais je ne méconnais pas pour autant la petitesse des comportements au quotidien, comme je ne méconnais pas non plus les accidents de l'Histoire, que je me garderais bien de qualifier de « détails ». J'ai conscience de ce que la petitesse des comportements quotidiens ramène à l'égoïsme, à l'individualisme, quelquefois à la méchanceté, j'ai conscience de ce que les accidents de l'Histoire peuvent concerner des périodes dans lesquelles nous avons tous à assumer une responsabilité, et je pense qu'il est indispensable d'avoir un certain nombre de garde-fou pour éviter que ces comportements et ces dérapages n'aient des conséquences trop importantes et viennent compromettre nos avancées.

Donc j'ai confiance, mais... Faire confiance ne signifie pas ignorer les repères qui doivent être bien balisés. C'est cela, en résumé, ma philosophie profonde. Je suis un optimiste et je ne peux pas ne pas l'être. J'ai maintenant un certain recul sur la vie, cela fait trente-huit ans que je suis « entré en médecine » et vingt-huit ans que je forme des élèves. Certains d'entre eux sont devenus des maîtres à qui je me confierais si j'avais un problème.

Me voici aujourd'hui devant presque l'émerveillement de voir que des étudiants venus tout jeunes dans mon service y ont appris beaucoup de choses. Ils sont, pour certains, devenus des patrons de médecine qui font autorité et à leur tour forment des élèves. Comment ne pas faire confiance, dans ces conditions ? Dans notre histoire, marquée, il est vrai, par le sang et le mensonge, la confiance, l'amour, l'idéal et la vérité l'emporteront toujours. N'est-ce pas là l'essentiel ?

En disant cela, je ne suis pas d'un optimiste béat, mais simplement réaliste, comme je le suis dans mon engagement politique et dans mes convictions religieuses, l'un et les autres ayant bien évidemment orienté mon regard sur l'homme. Que je sois catholique convaincu ne m'empêche pas de juger parfois l'Église catholique trop conservatrice quand elle ignore ou condamne certaines avancées qui ne sont révolutionnaires qu'à ses yeux. À chacun alors, en toute conscience et en assumant naturellement sa responsabilité, d'exercer sa pleine et entière liberté.

L'homme naît libre

Il doit pouvoir diriger sa vie librement avec le moins de contraintes possibles. Entreprendre, travailler, recueillir le fruit de ses efforts, la récompense de ses initiatives, je pense que c'est là le fondement de la personne. Nous sommes dignes parce que nous sommes libres et responsables, mais cette liberté qui s'exprime en termes de droit, droit d'entreprendre, droit d'initiative, ne peut pas méconnaître la liberté de l'autre, le droit de l'autre. La liberté des uns s'arrête là où commence celle des autres, cela peut faire cliché, qu'importe, on ne le répétera jamais assez, il faut que chaque individu en soit intimement convaincu. Nous ne vivons pas seuls mais en groupe, ce qui conduit nécessairement au respect de la liberté de l'autre et donc à la solidarité et à la générosité. « Un homme idéal dans une société idéale en quelque sorte ? » m'opposeront les railleurs. Non, il ne peut y avoir d'homme idéal, pas plus qu'il ne peut y avoir de société idéale, mais bien un citoyen conscient de ses responsabilités et de ses droits dans une société respectueuse des libertés, comme celle que je voudrais voir se développer, ce qui explique bien mon engagement politique.

À mes yeux, le libéralisme est d'abord un humanisme, parce qu'il place l'homme devant le défi de sa propre liberté. Dès lors, il doit se diriger conformément à l'idée qu'il se fait, de lui-même et des autres, et du sens qu'il veut donner à sa vie. Rien n'est plus difficile à mes yeux que cette double confrontation permanente avec sa conscience et celle des autres. Rien ne rend plus humble que d'être totalement responsable de ce qu'on fait et d'admettre en même temps que l'on n'est rien sans les autres.

197

Ai-je toujours raisonné ainsi ? Sans doute pas. L'homme évolue avec le temps. C'est pourquoi je serai le dernier à critiquer ceux qui changent de point de vue. En revanche, je critique ceux qui changent mais ne le reconnaissent pas. Quand la gauche aujourd'hui libéralise et privatise, renonce à réguler l'économie par la loi, pourquoi ne pas reconnaître qu'elle a changé de doctrine ? Quand les communistes soutiennent et participent à un gouvernement qui dénationalise, pourquoi prétendent-ils rester communistes ? Je préférerais qu'ils disent « le monde a changé et nous avec ». Du programme commun de 1970 aux privatisations de l'an 2000 en passant par les nationalisations des années 80 et l'économie mixte des années 90... oui, le monde a changé et la gauche avec. Il faut simplement l'admettre.

Je considère effectivement qu'au cours de sa vie, il est normal que l'on change. Quand on est jeune, on découvre, on a beaucoup à apprendre, on ne sait pas tout et on base alors son opinion sur des exemples précis mais qui ne sont que l'expression parcellaire d'un monde que l'on n'a pas encore appréhendé. On est forcément de parti pris. On est de parti pris parce qu'on a un copain qui a fait l'objet d'une injustice, on est de parti pris parce qu'on est choqué par tel ou tel fait divers, les SDF, la pauvreté, la torture... on a le sentiment de la générosité à fleur de peau, les contraintes pèsent, d'où une vision parfois un peu faussée.

Et puis, au fur et à mesure que l'on appréhende le monde, non seulement le monde réel, mais son inscription dans la durée, on se forge une véritable philosophie politique. Autrement dit, pour moi, la politique est davantage une philosophie qu'un parti pris et ma philosophie est devenue progressivement libérale au sens étymologique et vraiment plein du terme, parce que c'est, à mes yeux, le véritable humanisme.

Mon engagement initial

Au début des années 60, j'ai été élu délégué d'amphi sur la liste de l'Unef. Pour un homme aujourd'hui engagé à « droite », on me rétorquera avec justesse que l'Unef était à gauche ; mais c'était à une époque un peu particulière, source de doutes et de déchirures. C'était la fin du drame algérien après celui de l'Indochine. Mon beau-père, le second mari de ma mère, était officier de l'Infanterie coloniale, il a fait la guerre d'Indochine et servait en Algérie dans les mois qui précédaient le putsch. Il était difficile pour moi d'assumer une terrible contradiction. Il y avait d'une part, ces gens de l'autre côté de la Méditerranée qui avaient une autre origine, parlaient une autre langue, avaient d'autres mœurs et une autre vie que les nôtres, et je trouvais normal qu'ils puissent revendiquer leur indépendance. D'autre part, j'imaginais assez mal que quelqu'un de très proche, un membre de ma famille dont j'admirais le courage et l'idéal militaire colonialiste, puisse avoir une attitude répréhensible. Il y avait aussi les Pieds-Noirs, dont on devinait que leur avenir se jouait, mais aussi leur passé. À côté des mosquées il y avait des églises, des cimetières, une histoire d'amour, de sueur et de sang. J'étais totalement déchiré entre mon désir de voir l'armée française l'emporter, puisque j'en étais par famille interposée, et mon sentiment que le combat des Algériens pour l'indépendance était justifié. C'était à Marseille, où je suis rentré à la faculté en 1961 ; il y avait les pour, les contre et, comme moi, beaucoup de « pour et contre », tiraillés.

Tout cela m'a profondément marqué. J'y reviens parce que j'ai été bouleversé à l'époque, et ce qui m'a permis de garder une unité, c'est mon engagement chrétien. Il y avait des catholiques des deux côtés. Alors que dans les amphis les agressions étaient violentes entre ceux qui étaient pour l'Algérie française et ceux qui étaient pour l'Algérie indépendante, à la paroisse étudiante ces clivages terribles s'estompaient. On discutait, on essayait de faire la part des choses.

Progressivement, je me suis engagé dans la vie publique, mais dans l'esprit de la démocratie chrétienne, car ce qui m'avait sorti de ce premier conflit politique intérieur, c'était justement la prière, la méditation et l'écoute de l'autre. Déjà un principe fondateur en quelque sorte, c'est-à-dire la liberté, mais aussi le respect de l'autre. Mais, très vite, je me suis heurté au fait que nous sommes dans un pays laïc. J'ai alors entamé un deuxième mouvement qui m'a conduit à consolider mes principes chrétiens dans ma vie personnelle, et m'a amené à une ouverture d'esprit beaucoup plus grande, dans un esprit de laïcité. Mais j'ai une autre référence, car ma vie médicale m'a permis de bien comprendre et ensuite de projeter dans ma vie à la fois la relation à l'autre mais aussi la solitude inévitable lors des moments décisifs.

De la naissance à la mort

Certes, l'homme est un animal social, mais il naît seul comme il meurt seul. À ces deux moments déterminants qui bornent la vie, chacun est seul. Je ne veux pas dire qu'il n'y a pas la mère qui vous met au monde, qu'il n'y a pas la famille qui vous entoure au moment du départ, mais c'est exactement comme les membres de la famille qui accompagnent le navigateur solitaire en baie de Douarnenez. Ils sont là, tous, échangent des embrassades, formulent les bons vœux : « On te soutient », « On est avec toi », « On priera pour toi » mais, dès que les amarres sont larguées, le marin est seul sur son bateau. Je le sais, je l'ai vécu. Il m'est arrivé d'être assez sérieusement malade, une hépatite gravissime qui a bien failli m'emporter, au Sénégal. Ma femme était très présente, elle travaillait à l'hôpital, je la voyais donc régulièrement, mais il n'en demeure pas moins que, à l'instant où la personne dont on est proche quitte la pièce, dès que la porte se referme, on est seul sur son lit, seul à s'interroger sur sa souffrance, sur ce qui va se passer, seul avec sa destinée qu'il faut bien assumer. Ce qui n'a rien de pessimiste, mais on ne peut pas nier, on ne peut pas minimiser le fait que l'unité de vie, celle à laquelle on se ramène nécessairement, ne serait-ce que par ces deux actes fondamentaux que sont la naissance et la mort, c'est la personne. Et cette personne doit être le fondement de tout raisonnement.

Très vite, l'homme doit se rendre compte du double défi qui se présente à lui. À commencer par celui de s'assumer en tant que personne et donc assumer sa liberté et la responsabilité qui en découle. « Respecte-toi » ou encore « Il ne se respecte pas », disait souvent ma grand-mère, pour qui c'était une sorte de leitmotiv. Donc, premier défi, se respecter, assumer sa liberté, sa responsabilité, sa conduite, et puis, sachant que le moment venu, si on a le temps, si on a le loisir de le faire, on se retourne, on regarde, on ne doit pas avoir trop de regrets sur le chemin.

Mais le deuxième défi, si on veut aller plus loin, tourne autour de la dualité entre l'orgueil ou la fierté, l'orgueil au sens noble du terme. Rien de péjoratif, bien au contraire, quand l'orgueil accompagne la fierté, l'honneur, et se combine nécessairement avec l'humilité. Pourquoi ? Parce que le deuxième défi consiste à accepter humblement de reconnaître que ce sont les autres qui donnent un sens à ce que l'on est.

La seule chose qui pourrait donner un sens à une existence en solitaire, à un Robinson hypothétique, c'est la prière et la référence aux autres. Quand on se coupe du monde, c'est quelquefois pour mieux penser aux autres, c'est ce qui justifie la vie des ermites, des moines. On est à la merci des autres. S'ils jettent sur vous un regard méprisant, méfiant ou réprobateur, vous ne pouvez pas être heureux. S'ils n'ont pas besoin de vous à un moment quelconque et ne vous donnent pas l'occasion de sortir de vous-même, vous ne pouvez pas être heureux. Je veux dire simplement qu'il y a ce double défi, à la fois de s'assumer soi-même et d'accepter de se livrer aux autres, car ce sont eux qui font ce que vous êtes.

Sartre a écrit « l'enfer, c'est les autres » ; une fois encore je ne partage pas son avis. Je dirais « le paradis, c'est les autres ». J'estime que c'est grâce aux autres qu'on peut se réaliser, atteindre au bonheur et devenir ce que l'on est véritablement, dans des rapports profonds.

Il y a en toute personne trois personnages, trois « moi », qui cohabitent. Le moi profond et intime, insoupçonnable parce que profondément enfoui. Ce n'est pas seulement l'inconscient freudien, même s'il en fait partie, il y a un peu plus que cela, l'inconscient, le subconscient et aussi le conscient caché. C'est un premier « moi ».

Puis il y a un deuxième « moi » qui est consensuel et social, c'est-à-dire qu'on vous renvoie une image de vous conforme à celle que vous avez de vous-même. Ainsi, je sais que l'on dit de moi : « Il est travailleur », et je reconnais volontiers que cela me convient car je pense être travailleur. C'est le moi consensuel.

Il y a un troisième « moi », tout aussi important que les deux précédents, mais dans lequel vous ne vous reconnaissez pas forcement. On dit également de moi : « Il est distant, inaccessible... », qualificatifs dans lesquels je ne me reconnais absolument pas, d'autant que comme nous tous, j'ai toujours tendance à me voir sous un jour meilleur. Mais puisque des gens différents, ne se connaissant pas, émettent un même avis à mon propos, je suis bien obligé, à un moment ou à un autre, d'accepter, et je me pose alors la question : Est-ce que je ne suis pas trop distant ? En quoi suis-je inaccessible ? C'est un « moi », celui-là, qui m'est en quelque sorte étranger, car je ne le vis pas. Mais je suis bien obligé de tenir compte de l'image qu'ils me renvoient et que je porte sans doute en moi, si je veux la corriger.

Oui, les autres ont, à mes yeux, une importance considérable. Ce sont eux qui m'amènent à changer d'avis, qui m'amènent à réfléchir ma conduite... à condition de garder ouverture d'esprit et disponibilité.

Changer d'avis

Tous, nous devons être susceptibles de changer d'avis.
Non pas comme des girouettes, histoire de donner raison
au dernier vent qui souffle mais, par réflexion, face à de
nouveaux éléments, ou plus simplement parce que le
regard que l'on porte sur la vie et les autres se modifie
avec les années et l'expérience. Personnellement, je ne
change pas d'avis facilement, mais je reconnais avoir évolué sur des points importants, graves. Ainsi, la peine de
mort, à laquelle j'étais plutôt favorable, paradoxalement,
quand j'étais jeune. Je pensais que celui qui avait tué
dans des conditions crapuleuses, abominables, méritait
la mort, que je trouvais être en l'occurrence un châtiment
juste. À l'école de la médecine, où on apprend à lutter
contre la mort, où rien n'est trop difficile pour la vaincre,
comme à l'école de la vie aussi, tout simplement, on
s'aperçoit que les comportements que l'on juge entiers
sont beaucoup plus complexes, ne sont pas définitifs.
Donner la mort, c'est priver quelqu'un d'une possibilité,
sinon de rachat, de retour sur soi. J'ai évolué progressivement, en pensant que la peine de mort n'est pas conforme à l'idée que je me fais de l'être humain, de son
esprit, ses sentiments. On ne lutte pas contre la mort par
la mort.

Ce en quoi j'ai été conforté par nombre d'arguments
qui ne sont pas décisifs mais démontrent que la peine
de mort est totalement inefficace lorsqu'on la prône en
exemple. Ainsi, aux États-Unis, le taux de délinquance et
de criminalité est le même dans les États qui appliquent
la peine de mort que dans ceux où on ne l'applique plus.
De plus, et là c'est sans doute le médecin qui parle, celui
qui donne la mort froidement, dans des conditions ignob-
les et lâches, bien qu'il soit impossible de le définir, de
l'identifier, de le cerner, n'a pas un comportement normal
d'être humain.

Je vais faire une parenthèse, encore que je sois très
circonspect dans ce domaine, parce que je pense qu'il ne

faut pas confondre la délinquance et la maladie, ce qui conduirait à confondre la peine et le traitement. Mais je serais assez tenté de penser que la criminalité, la grande criminalité qui est la forme extrême de la violence, est, en fait, un trouble du comportement bien spécifique et majeur. On commence à connaître les profils psychopathologiques des grands criminels, on trouve des stéréotypes, et je ne crois pas qu'une société se grandit en supprimant des malades et en donnant la mort.

Cela étant, je ne voudrais pas que l'on puisse imaginer un seul instant que je suis laxiste, car je suis très attaché à la sécurité qui est pour moi une des composantes essentielles du bonheur de vivre. Mais il faut des réponses graduées à ce problème. Et si la peine de mort n'est évidemment pas une solution adaptée, il est totalement irresponsable de relâcher dans la nature des personnes dont on connaît les antécédents délictueux, criminels, dont on sait, même s'ils ne sont pas reconnus malades mentaux par la psychiatrie traditionnelle et conventionnelle, qu'ils ont néanmoins des comportements dangereux. Il arrive qu'on ne puisse les prendre en charge sur le plan thérapeutique parce qu'on n'a pas pu identifier clairement la cause de leurs maux, mais je n'en suis pas moins absolument opposé à ce qu'on les relâche. Ne sachant pas soigner, on ne peut prétendre guérir. Ne connaissant pas les causes, on ne peut décider qu'elles ne produiront plus d'effets. Je suis, de ce point de vue, très strict et opposé aux libérations anticipées, conditionnelles, de gens pour lesquels on n'a pas fait le tour médico-scientifique de la situation.

Une société ne se grandit pas en pendant, électrocutant, asphyxiant, décapitant, strangulant... Probablement, dans un avenir lointain, quand on aura trouvé les éventuels ressorts biologiques prédisposants, on aura d'autres moyens d'agir, mais dans l'état actuel de nos connaissances, nous devons assurer la tranquillité des personnes fragiles, qu'il s'agisse des enfants ou vieillards, des personnes vulnérables. Il s'agit donc de mettre hors d'état de nuire les sujets dangereux. Comme ce n'est pas par la mort, de mon point de vue, c'est l'enfermement. On me dira que c'est aussi inhumain, quelquefois même pire. C'est peut-être vrai, mais il n'en demeure pas moins que c'est ma position aujourd'hui.

J'ai également changé d'avis sur un autre point tout aussi important, celui de l'avortement. Je pense que là, je n'avais pas une vraie vision personnelle. Par ma famille maternelle qui était profondément catholique, l'avortement aurait été considéré un peu comme la part du diable dans l'œuvre de Dieu... La vie aidant, je me suis bien rendu compte que ce n'était pas forcément ça. Il faut donc avoir l'humilité de reconnaître que les problèmes humains échappent quelquefois à la rationalité cartésienne. On ne peut pas trouver de solution parfaite, il n'y en a pas, et dans ces conditions-là, on opte pour la moins mauvaise des solutions.

Pourtant, n'importe quelle femme devrait être capable d'expliquer à sa fille ce qu'est la maternité, ce que sont la fécondation, le rapport sexuel, le plaisir qui peut en découler, les précautions qu'il convient de prendre... Sujets délicats qui doivent faire l'objet d'échanges en confiance.

Seulement, comment expliquer cela à sa fille quand soi-même on l'a découvert différemment ? Aujourd'hui, nous vivons dans une sorte de décalage, car les enfants attendent de leurs parents qu'ils leur tiennent un discours ne correspondant pas à ce qu'ils ont vécu eux-mêmes. Beaucoup de femmes ont découvert la sexualité avec la pilule. Elles s'estiment tranquilles si leur fille prend la pilule ! Elles auraient changé au point de perdre leur identité profonde, leur sens inné de la transmission, leur écoute de l'enfant ? Certainement non. Mais il est vrai qu'elles réagissent différemment depuis qu'elles sont sorties du schéma traditionnel dans lequel elles étaient cantonnées, qu'elles se sont fort heureusement libérées d'un certain nombre de contraintes, encore que... Je ne suis pas dupe, mais c'est probablement mon côté corse qui ressort, de la pseudo-fragilité des femmes. Je suis au contraire persuadé que nous vivons dans une société où les vrais pouvoirs ne sont pas là où on croit qu'ils sont.

En Corse, pour caricaturer le siècle dernier, la femme était à la cuisine et servait son mari, l'homme apparaissait comme le chef. En fait, c'était elle qui influençait les choix, emportait les décisions sans que cela soit dit, et je suis persuadé qu'encore maintenant, dans de nombreuses familles, il en est toujours de même. Les femmes sont plus habiles que les hommes. Pour ce qui est d'être plus fragiles, elles le sont peut-être sentimentalement car plus vulnérables, mais elles ont dans la vie une détermination souvent plus forte que celle des hommes. Le schéma de la femme fragile et de l'homme fort n'a plus cours. Ne l'oublions pas, ce sont elles qui transmettent la vie. Elles peuvent même avoir un enfant sans que l'homme, le géniteur, le sache, tandis que lui ne pourra jamais donner la vie.

À partir du moment où on fait abstraction de la composante affective et sentimentale, on s'aperçoit que la femme peut se passer de l'homme. Ce sont bien elles qui détiennent les clés, aujourd'hui encore davantage qu'hier, car elles sont affranchies d'un grand nombre de contraintes, à commencer par celle d'être enceintes quasiment tout au long de leur vie active. Entre vingt et quarante ans, ou presque, enceintes une bonne dizaine de fois et ne pouvant de ce fait travailler, elles étaient jusqu'à il y a quelques années dans un système machiste, dépendantes matériellement d'un homme. Enfin libérée de ces grossesses à la chaîne, la femme a pu avoir un métier, devenir autonome matériellement, et l'homme a été ramené à une importance moindre.

L'homme s'est soudain trouvé totalement déstabilisé dans son rôle de chef de famille, de protecteur de la femme et des enfants. Il ne trouve plus exactement sa place dans une société où les femmes la lui disputent ! Les rôles ont été modifiés. Mal à l'aise dans une nouvelle masculinité, certains ont essayé de trouver d'autres solutions tandis que quelques femmes allaient au bout de la logique en s'affranchissant totalement. L'homosexualité est apparue différemment. Il n'aurait jamais été question de « gay pride » il y a seulement vingt ans, pas plus que de Pacs. Certes, le sida est passé par là mais, j'en suis convaincu, on a déplacé les repères identitaires, en voulant que l'homme et la femme soient des égaux à tous moments. Je suis toujours, je ne m'en cache pas, réticent quand on aborde l'égalité de l'homme et de la femme, car il y a souvent confusion sur ce que recouvre ce mot. Je souscris complètement à l'égalité, au sens des droits et de la dignité. Il faut parfois rappeler des évidences, et je ne vois pas pourquoi une femme ne serait pas présidente de la République et n'accéderait pas aux responsabilités les plus hautes. Mais je pense qu'il y a des différences psychologiques et physiques tellement profondes qu'on ne peut pas vouloir faire jouer le même rôle à l'homme et à la femme dans notre société.

Il y a une identité féminine, des qualités féminines, peut-être aussi des défauts. Il y a des qualités masculines, sans aucun doute des défauts. Les hommes et les femmes ne sont pas taillés sur le même modèle, dans le même moule, ils ne sont pas faits pour jouer la même partition. Je pense que c'est une folie de le souhaiter, d'autant que c'est beaucoup plus intéressant de ne pas jouer la même partition, à condition bien sûr d'être en harmonie...

L'égalité des droits dans la dignité des personnes implique à mon avis, le respect des différences dans la complémentarité. Mais on n'a pas tenu compte des différences, et les femmes y ont beaucoup perdu. Les hommes étaient prévenants, elles ont perdu la courtoisie. Ils étaient protecteurs, elles sont souvent seules. Ils étaient responsables, ce qu'ils sont de moins en moins.

Quant aux rôles, ils ne sont pas tous interchangeables.

À un moment ou à un autre, un choix doit se faire et, aussi judicieux et bien pensé soit-il, il n'est pas sûr que les enfants ne fassent pas les frais de l'opération, comme cela se voit de plus en plus souvent. Et j'ai des exemples bien précis où les impératifs professionnels s'imposent au détriment de la structure familiale et des enfants. C'est la chance des grands-parents qui, à soixante ans, à la

207

retraite et en pleine forme, ne sont pas mécontents de donner un nouveau sens à leur vie en participant à l'éducation de leurs petits-enfants. Ils pourront ainsi leur transmettre un certain raisonnement, un peu de sagesse et de connaissances.

Au risque de paraître nostalgique en exprimant ceci, je pense que la famille est une valeur fondamentale à laquelle il faut redonner sa vraie place, en l'élargissant, puisque désormais la longévité le permet, en donnant un rôle privilégié aux grands-parents qui aujourd'hui sont jeunes – je ne dis pas ça parce que je suis grand-père moi-même et que je pense pouvoir être encore utile ! J'estime que les grands-parents ont un rôle particulier à jouer, ils sont porteurs de la tradition, de l'histoire, du roman familial. Un peu en marge de la vie trépidante, hors de la difficulté de l'organisation quotidienne, de la course à la nounou, ils doivent être la respiration de ces enfants que l'on dépose à la crèche tôt le matin, que l'on reprend trop tard le soir. Les grands-parents sont susceptibles de poser quelques principes de réflexion, de sagesse, de sérénité qui manquent à toute une famille lorsqu'ils sont éloignés ou laissés pour compte. Après tout, des caravanes de jeunes retraités couvrent le monde avec les tour-opérateurs, ils peuvent aussi aider lors des moments difficiles.

Nous voici entraînés dans un bouleversement sociologique qui oblige chacun à rechercher ses marques sans toujours pouvoir se référer au passé.

MES RACINES

Au fond, je crois être un homme heureux. La vie ne m'a pas épargné, mais elle n'a pas triché avec moi, me laissant libre de mes choix. J'ai appris des choses fondamentales avec des gens très simples dont j'aime la conversation sans fioritures, sans artifices, sans mensonges. Ainsi, c'est toujours avec plaisir que je discute avec les habitants du petit village varois où j'ai construit ce que j'appelle ma thébaïde, un peu à l'écart, sur le sommet d'une « collinette ». Quand je suis devenu assistant des hôpitaux, nous y avons acquis, ma femme et moi, un hectare de garrigue inaccessible : il n'y avait ni chemin, ni eau, ni électricité. C'est aujourd'hui une maison familiale, un lieu pour les enfants, de quoi se retrouver ensemble et loin de tout. C'est non sans une certaine fierté que je dis y avoir travaillé de mes mains, chaque semaine pendant des années. Je me suis lié avec les villageois, notamment le boulanger qui a pris sa retraite l'année dernière, après une vie consacrée à ce qu'il appelle « ce métier de fou ». J'ai beaucoup discuté avec ce boulanger, copie conforme d'un personnage de Pagnol dont il a le parler, pas toujours facile à comprendre, d'autant qu'il truffe sa conversation de quelques mots du cru. Mais c'est toujours avec intérêt que je l'écoute raconter sa vie empreinte de courage et de sagesse, les nuits passées dans le vieux fournil du village à pétrir et enfourner des pains qui étaient cuits vers cinq heures du matin. Après quoi il partait à la chasse ou à la pêche. Il en a gardé des habitudes

209

et, selon les saisons, tôt le matin, il continue d'aller à la chasse, à la pêche, aux truffes ou aux champignons. Il a la passion des abeilles et j'ai voulu voir la façon dont il s'en occupait, moi qui n'y connaissais rien. J'ai découvert tout un monde fabuleux qui tourne autour de la reine et j'ai acheté trois ruches pour avoir le plaisir de tirer mon miel. Je l'ai vu faire avec calme et attention. On met le feu à une espèce de petit récipient à soufflet dans lequel on a déposé des herbes sèches et, en actionnant le soufflet, on enfume la ruche pour « ensuquer » les abeilles – terme de chez nous qui signifie les abrutir. On ouvre alors la ruche, on retire les rayons en faisant attention aux abeilles qui pourraient s'y accrocher, on referme la ruche avant de mettre les rayons dans une centrifugeuse à mains. On tourne, le miel sort des rayons, coule le long des parois, on ouvre alors un robinet sous lequel on a posé un seau qui se remplit de ce liquide doré sur lequel flotte une légère mousse blanche. On laisse reposer quelques jours avant d'écumer la mousse dont on essaye de faire sortir encore un peu de miel, et on met en pot. Remplir quelques pots de miel devient alors vraiment la chose la plus importante qui soit. J'ai également fait, par deux fois, la transhumance des ruches avec le boulanger. On les transporte vers le mois de mai dans le Haut-Var, au-dessus du lac de Sainte-Croix où il y a des champs de lavande à perte de vue. Il m'est arrivé de faire le trajet seul dans mon break, avec des ruches ficelées mais vrombissant de l'intérieur.

J'ai appris beaucoup de ce compagnon, sur la notion du travail, du devoir également, sur la valeur de l'argent, de la nature, le respect des animaux, les règles de chasse... Autant de leçons que nous autres, dans les écoles de la République, nous énoncerions de façon beaucoup plus ampoulée, mais qui là étaient d'autant plus porteuses qu'elles étaient fondées sur le simple bon sens. Je ne suis pas chasseur, mais je comprends les chasseurs au sens noble du terme. Pas ceux du dimanche qui font s'envoler du gibier d'élevage qu'on leur a tenu au chaud toute la semaine, mais les vrais chasseurs, qui partent

210

pour une journée en harmonie avec la nature, sans forcément tirer un coup de fusil, en respectant la vie, dans son équilibre.

Je rencontre dans mon village des gens simples et vrais qui me donnent des leçons jusque dans ma spécialité, quand l'un d'entre eux me raconte par exemple, sur la place à l'heure du pastis, qu'il vient d'accompagner à Marseille sa femme « à qui on a mis un œuf » et comment cela s'est passé. Pour cet ensemble de choses, cette vie sereine, je suis très heureux d'avoir, là, planté mes racines. Qui pourrait rêver mieux pour l'éternité ?

Je sais aussi que mes enfants y sont très attachés. Il est bon d'avoir une identité, des repères, et même s'ils ont l'air de ne pas y prêter attention, lorsqu'il m'arrive, de temps à autre, de modifier quelque détail, dans la maison ou le jardin, il y en a toujours un qui demande, sur le ton du reproche : « Pourquoi as-tu changé ceci ou cela ? » Alors il me faut justifier, ce qui ne me déplaît pas, cela prouve qu'ils remarquent, qu'ils ont un intérêt, un lien. Je me suis appliqué à créer pour mes enfants ce que je n'avais pas eu et qui m'a manqué. Oui, j'ai voulu construire la famille que je n'avais pas eue. Je le dois à ma femme. Nous l'avons fait à deux. Elle a permis mon rêve.

Fils unique, mon père a fait ses études de médecine militaire à Lyon, par facilité, parce que ses parents étaient professeurs à Saint-Étienne. Après des campagnes bien remplies, l'Indochine notamment, il a passé l'agrégation et, aussitôt fait, il a quitté l'armée pour prendre la direction du service de chirurgie de l'hôpital d'Ajaccio en 1958. Ce fut véritablement le retour sur le sol natal, pour lui qui parlait le corse comme le français et avait des sympathies autonomistes marquées. Il est vite devenu une personnalité de l'île. Lorsqu'il est mort, je suis allé à son enterrement, dans un petit village au cœur de la montagne – nous sommes des montagnards – et là, je m'en souviendrai toujours, il y avait sur le côté de la rue, en arrivant au cimetière, des gens en noir, par groupes, des femmes évoquant les pleureuses. Lorsque je suis descendu de la voiture, un murmure s'est élevé au fur et à mesure que j'avançais – comme dans la tragédie antique – « *è u figliolu, è u figliolu*... c'est le fils, c'est le fils... » tandis que je remarquais, un peu à l'écart sur une butte, quelques autonomistes.

Sur le plan familial, ce fut moins réussi. Mon père a fait d'autres choix. Rien que de très banal. J'ai donc très peu vécu avec lui.

Mes grands-parents, ses parents, m'étaient plus proches, qui l'ont suppléé en partie. Nés, lui en 1891, elle en 1892, et élevés dans le même village, ils étaient cousins issus de germains. Ma grand-mère, qui s'appelait déjà Mattei, n'a pas changé de nom en se mariant. Mon grand-père, c'était le prototype de l'enfant du village remarqué par l'instituteur... Je n'ai pas parlé de ses campagnes, parce qu'il a fait Verdun, il a laissé la moitié d'une cuisse dans la campagne de l'Oise, et il a été nommé professeur d'italien à Saint-Étienne en 1917. Ma grand-mère, celle qui disait « respecte-toi », était l'aînée d'une fratrie de cinq. Elle a présenté le concours de Normale supérieure auquel elle a été admise. C'était en 1912 ! Ils ont été nommés tous les deux à Saint-Étienne. Mon grand-père au lycée de garçons, ma grand-mère au lycée de filles, où ses élèves l'avaient surnommée « grand siècle » en raison de son attitude. Toujours très attentive à la qualité de son interlocuteur, elle avait l'habitude de me dire : « Et si tu rencontres la sottise, essaie de lui pardonner. » Une intellectuelle, un peu difficile, qui parfois sombrait dans l'excès – il n'était pas question qu'elle fasse même un œuf à la coque. C'est donc mon grand-père, une bonne pâte, qui outre son métier de professeur d'italien tenait la maison. Mariés en 1917, mes grands-parents ne se sont jamais séparés plus de deux jours durant leurs soixante-dix ans de vie commune, sauf peut-être deux ou trois fois à l'occasion d'un banquet d'anciens poilus de Verdun où ma grand-mère ne pouvait pas l'accompagner. Elle en faisait l'affaire du siècle.

Mes grands-parents n'ont eu qu'un fils, probablement parce que ma grand-mère, toujours campant sur ses hauteurs, devait penser qu'elle avait fait ce qu'il fallait et que c'était bien comme ça, et mon père a été élevé par sa grand-mère. Il m'est resté de tout cela, sans y avoir vraiment vécu, un attachement puissant à la Corse. Quand vous dites que vous vous appelez Mattei, vous ne pouvez pas vous faire passer pour picard ou lorrain, vous avez votre nom autour du cou et on vous dit « vous êtes corse ». Mes enfants, qui n'ont jamais vécu en Corse, s'y intéressent, au fur et à mesure qu'on les renvoie à leur corsitude. La Corse fait, je crois, partie d'eux-mêmes.

J'ai des ancêtres plutôt originaux. La seconde sœur de ma grand-mère a épousé un Kabyle et est allée vivre à Alger en 1920, ce qui n'était pas une mince aventure. La troisième, dévouée à la cause des pauvres, est morte de malnutrition et de tuberculose avant trente ans ; un frère est entré dans la Coloniale et a baroudé sur tous les territoires d'Afrique et d'Asie ; quant à la dernière sœur, elle a préparé une licence d'histoire et géographie pour faire plaisir à son père. Licence en poche, elle a dit « Maintenant, je fais ce que je veux, je rentre chez les sœurs de Saint-Vincent-de-Paul. » Elle a fondé l'ordre au Chili, puis a fait de même à Madagascar. Revenue en France, elle a eu un grave accident de Vespa à cause de sa cornette, qui donnait prise au vent ! Une fois rétablie, elle a dit à la mère supérieure : « Je ne veux plus entendre parler de cornette », et a quitté l'ordre pour aller vivre dans la casbah d'Alger où elle a été assistante sociale pendant vingt ans.

Sacrées bonnes femmes ! Du côté maternel, pures Bretonnes du Finistère, elles ont le même tempérament. Une arrière-grand-mère maternelle a fait la guerre de Crimée, conduisant des voitures d'infirmerie.

Paradoxalement, je dois beaucoup à l'absence paternelle. Dès mes sept ans, j'ai pris mes responsabilités. Psychologue et intelligente, ma mère m'a appris à me débrouiller très vite. Je suis devenu l'homme de la maison et je savais pratiquement tout faire. « Si tu ne le fais pas, qui va le faire ? » Par la suite, elle s'est remariée, et j'ai une sœur. C'est donc une petite famille. Ces repères familiaux-là, j'y tiens plus que tout. Mais j'ai voulu transmettre davantage.

Deux choses comptent dans la construction d'une personnalité, que je trouve comparable à la navigation parce qu'il y a deux façons de se repérer. Ou vous vous repérez sur les étoiles, c'est-à-dire sur des repères distants, et je fais ici allusion aux personnalités qui sont des repères pour tel acte, pour telle entreprise, pour tel exemple. La deuxième façon de cheminer est de suivre un chemin balisé des deux côtés, avec d'un côté le père et de l'autre la mère. Les deux méthodes peuvent vous permettre d'atteindre le but, à condition qu'il y ait des repères, qu'on sache les trouver.

J'ai suivi le premier chemin, je me suis repéré sur les personnalités lointaines, d'autant que les militaires changent souvent de garnison ! Ainsi, entre le cours préparatoire et le bac, j'ai changé quatorze fois d'établissement scolaire, parfois même en cours d'année. J'ai habité un peu partout, sans pouvoir me lier d'amitié ni vraiment pratiquer un sport dans une équipe, passant une année à Constance, en Allemagne, l'année d'après à Nanterre dans une annexe du lycée Condorcet, la suivante à Brest, puis dans la banlieue de Dakar... ce qui m'a appris deux choses. Que si les voyages forment la jeunesse, on a quand même besoin de racines. Et que, où qu'on aille, on est toujours avec soi, et que c'est en soi qu'on doit fixer les véritables repères, car si vos repères sont intérieurs, peu importe l'endroit où vous êtes. J'ai ce sentiment.

J'ai posé mes valises à Marseille en 1961 pour commencer ma médecine, parce que mes grands-parents s'étaient fixés là pour prendre leur retraite et, assez rapidement, j'ai eu dans l'idée de ne pas m'éloigner beaucoup de cette terre provençale qui m'avait accueilli.

Corse par mon père, breton par ma mère, me voici devenu provençal par mon choix. Pour moi, la Provence, c'est moins la côte que l'intérieur, la garrigue, Pagnol, Daudet et plus encore Giono. Là où je suis, c'est parfait. En écrivant ces mots, j'ai conscience d'être un privilégié, d'autant que, si j'avais à refaire ma vie, je referais exactement la même chose. Je referais mes études de médecine, je referais de la génétique, je referais de la politique et je referais la famille que j'ai. Je ne m'excuse pas, on n'a pas à s'excuser de son bonheur, mais je pense que ça se construit, que ça se cultive. Je pense que ça se veut. Et je souhaite à chaque homme, à chaque femme, de le vouloir.

Table

Photocomposition Nord Compo
Villeneuve-d'Ascq
Achevé d'imprimer en mars 2000
sur les presses de Brodard et Taupin
à La Flèche
pour le compte des Éditions Calmann-Lévy
3, rue Auber, Paris 9e

N° d'impression : 1327
Dépôt légal : mars 2000
N° d'éditeur : 12946/01